SHODENSHA
SHINSHO

コロナと無責任な人たち

適菜 収

JN110595

祥伝社新書

はじめに

新型コロナウイルスの拡大は、わが国が置かれている状況を明らかにしてしまいました。

本書でこれから述べるのは、その「状況」についてです。

私は医者でも感染症の専門家でもありません。

近代大衆社会がどのように変化していくかに興味があるため、政治に言及することはありますが、政治学者でもジャーナリストでもありません。

だから新型コロナウイルス自体やこの先の見通し、対策の在り方を論じるつもりはありません。「こうしたほうがいい」とか「ああしたほうがいい」と言う資格は私にはありません。

知らないことに口を出すのは、下品であるどころか、社会に大きな害を与えます。

特に新型コロナウイルスの問題は、人々の生死に直接関わります。

しかしわが国では、医者でも感染症の専門家でもない素人《しろうと》が、大声をあげて専門家を罵倒し、「見通し」を語り、無責任な言論を繰り広げてきました。

自称国際政治学者、自称文芸評論家、元IT企業社長、畑違いの分野の大学教授、いかがわしい政治家……。

ある分野における専門家でも、別の分野においては素人です。

たとえ優秀な文学者であっても、航空工学について軽々しく口を出していいということにはなりません。

もちろん、専門家も間違えることはあります。専門家の中にはデタラメな人もいます。だからといって、専門家と素人の意見を同列に扱っていいはずはありません。

しかし、わが国で発生したのは、まさにそのような現象でした。

社会不安が高まる中、素人、デマゴーグ（大衆扇動者）、無責任な人、高を括《くく》る人、陰謀論者が「単なる思いつき」を大上段から語るようになります。

スペインの哲学者ホセ・オルテガ・イ・ガセットは「今日われわれは超デモクラシ

ーの勝利に際会しているのである」（『大衆の反逆』）と言いました。

《かくして、その本質そのものから特殊な能力が要求され、それが前提となっているはずの知的分野においてさえ、資格のない、資格の与えようのない、また本人の資質からいって当然無資格なえせ知識人がしだいに優勢になりつつあるのである》

新自由主義に脳を侵された自称保守の連中が、新型コロナ軽視発言を続けたのはそれほど不思議なことではありませんでした。彼らは国家の役割を軽視するからです。しかし、ある程度まともな言論を続けてきた人も、今回はかなりおかしなことを言い出しました。

政治もグダグダです。

こうした状況の背後には、ナショナリズムの衰退と国家の機能不全を見出すことができると私は思っています。本書では、こうしたわが国の状況と無責任な人々の言動を振り返っていきます。

適菜 収

目次

第二章　デタラメな政治家

第四章　社会不安に乗じるデマゴーグ

第五章　ナショナリズムの衰退と国家の機能不全

本文写真：アフロ／ロイター（85頁）
アフロ（ほかすべて）

第一章

新型コロナ拡大のA級戦犯

新型コロナは「バカ発見器」だった

『昭和16年夏の敗戦』

猪瀬直樹《いのせなおき》の『昭和16年夏の敗戦』には、現在のわが国と極めて近い状況が描かれています。

昭和一六年四月、日米開戦八カ月前の「総力戦研究所」に、「官民各層から抜擢《ばってき》された有為なる青年」三六人が全国から集められます。

募集の条件は、「人格高潔、智能優秀、身体強健にして将来各方面の首脳者たるべき素質を有するもの」でした。彼らは闊達《かったつ》な議論を行ない、あらゆるデータを集め、開戦後のシミュレーションを繰り返し、「緒戦《しょせん》、奇襲攻撃によって勝利するが、長期戦には耐えられず、ソ連参戦によって敗戦を迎える」との結論に達します。

ご存じのように、見事にそれは的中しました。

しかし日本は開戦に踏み切ります。

なぜか？

開戦後の石油保有量を予測した数字が出たからです。

戦争を始めたい勢力はそれに飛びつきました。たとえ「客観的」なデータであっても、解釈するのは人間です。

今回の新型コロナとの戦いにおいても愚行《ぐこう》は繰り返されます。

二〇二〇年二月一六日、官邸に全国からエリートが集められました。新型コロナウイルス感染症対策専門家会議です。

彼らは闊達な議論を行ない、あらゆるデータを集め、新型コロナとの戦争における開戦後のシミュレーションを繰り返しました。これを妨害したのが後述するように官邸であり、安倍晋三《あべしんぞう》周辺でした。連中は、国民の生命より財界の意向を重視し、専門家会議の意向を無視して第一回目の緊急事態宣言の解除を決めます。

「コロナはただの風邪」「夏には終息する」などと言い出すデマゴーグも現れました。

状況が悪化すると、都合のいいデータを探し出してきて自己正当化を図るところも、過去の事例と瓜《うり》二つでした。「竹やりでB29を落とせ」というレベルの精神論も蔓延《まんえん》します。「ロックでコロナをぶっ飛ばせ！」などと見出しに掲げる雑誌や、市販のうがい薬に効果があると言い出す政治家まで現れます。

結局、過去を反省しないからこういうことになるのです。

大正《たいしょう》一二年の関東大震災では、「朝鮮人が井戸に毒を投げ込んだ」というデマが流され、朝鮮人が虐殺されます。

デマは人を殺すのです。

錯綜《さくそう》する情報にわれわれはどう向き合えばいいのでしょうか？

「はじめに」でも述べたように、まずは専門家の意見を尊重することです。専門家の意見が割れているなら、両方の議論を追うべきです。一つの意見を妄信するのは危険です。

そして危機に乗じてデタラメな言動を繰り返す人々について、事前にある程度の知識を持っておくことが必要だと思います。

思い込みの激しい人

小学生の頃、書道教室で頬杖《ほおづえ》をついていたら、書道の先生（二〇代後半女性）が「私の顔の真似をしたわね」と怒り出しました。もちろん、そんなつもりはありませんでした。だから、こちらは「え?」としか言えません。中学生の頃、「オレの顔を見て笑ったな」と叫ぶオッサンに追いかけられたこともあります。

思い込みの激しい人は怖い。

新型コロナについても、一つの立場、一つの論者の意見を鵜呑《うの》みにするのではなく、いろいろな意見を聞いたほうがいいと思います。

たとえば「目鼻口さえ触らなければ新型コロナには感染しない」と言う人がいました。

しかし、無意識に「目鼻口」を触ってしまうのが人間という存在です。人間が合理的な選択をすることを前提にした社会モデルは、そのまま現実に当てはめればすぐに崩れます。人間は合理的に行動しないからです。

世界も人間もそれほど単純にはできていません。

それは歴史が証明しています。

思考停止は危険です。

今回は、人命より経済を優先させたい財界とその下請けみたいな連中に騙《だま》されたバカが、専門家に難癖《なんくせ》をつけ、社会を防衛しようとする人々に「コロナ脳」「自粛厨《ちゅう》」などと罵声を浴《あ》びせ、完全に思考停止しました。

集団免疫獲得を目指す「スウェーデン方式」は多くの死者を出したうえに、経済活動の維持においても効果は不明のままです。スウェーデンのコロナ対策を率いた国家疫学官のアンデシュ・テグネルも、勝手に勝利宣言したものの、短期間で多数の死者が出たことは認めています。

「集団免疫はできない」という免疫学者の意見もありますし、軽症でも脳に損傷《そんしょう》の恐れがあることも分かってきました。変異株の問題も再感染の問題もあります。

専門家ですら意見が割れているのに、新書を数冊読んだ程度の素人が、どうして自分の「オリジナルな意見」を開陳できるのでしょうか。

分からないことについては、分からないと言うのが科学的な態度です。専門領域について発言したいのであれば、「月刊Hanada」や「月刊WiLL」ではなくて、学術誌に論文を書けばいいだけです。

しかし、わが国においては「新型コロナの真実」を断言する素人が続々と登場したわけです。

新型コロナは「バカ発見器」だった

イギリス首相のボリス・ジョンソンは新型コロナについて「最初の数週間、数カ月は理解していなかった」「違うやり方ができたかもしれない」と反省の弁を述べました。自分たちは当初集団免疫作戦をやろうとしたが、あれは間違いだったと。

反省できるのは立派なことです。そして反省できる人間は強い。

人間は誰しも判断を間違えることがあります。だから判断を間違えた人を単純に責めるのはおかしいと思います。

問題は自分が判断を間違ったとうっすら気づきつつも、自己評価とプライドが高すぎるがゆえに間違いを認めることができず、自己正当化を図ろうとしてドツボにはまる連中です。誠実な人間はたとえ間違ったとしてもきちんと謝るので、傷は浅い。

以前、「新型コロナはただの風邪」と言っている人が「新型コロナは中国の武漢《ぶかん》でつくられた生物兵器」と言っていました。意味が分かりません。武漢で「ただの風邪」がつくられたということなのでしょうか？

結局、頭の中が整理されていないのです。だから、発言の内容がコロコロ変わり、それをあとから糊塗《こと》・軌道修正しようとするので、次々と矛盾が出てくるのです。

国家は緊急事態において国民の自由を制限することができる一方で、国民の生命を守らなければなりません。

すでに述べた通り、国家の役割を重視しない新自由主義者の類《たぐい》が新型コロナ軽視のプロパガンダを始めたのは予想通りでしたが、この手の「自称保守」とは一線を画《かく》してきた連中も急速におかしくなっていきました。

新型コロナとのある種の戦争が始まっているのに、言論人もぶれまくりました。

緊急事態宣言や外出自粛などに対し「国が人々の行動を制限するのはけしからん」

「全体主義的だ」「日常生活が犠牲になった」「僕は釣りに行きたい」みたいなことを言い出す連中が出てきます。

わが国ではすでに総力戦は不可能になっていたのです。ここにもナショナリズムの衰退と国家の機能不全を見て取ることができます。

西浦博教授の活躍

専門家会議の妨害

新型コロナウイルスの拡大により、世界はパニックに陥りました。

そこにわが国のトップが安倍晋三という悲劇が重なります。

二〇一九年一二月末、中国湖北《こほく》省の武漢市で新型コロナウイルス感染症（COVID《コヴィット》-19）の患者が発生します。二〇二〇年の一月一三日にはタイ、同月一五日には日本でも感染者が確認されました。

このとき、多くの専門家がパンデミック（感染症の世界的大流行）になる可能性が高いと判断しています。

たとえば、北海道大学の西浦博《にしうらひろし》教授（肩書は当時のもの。以下同）は、チームをつくり、データを集め、未知のウイルスとどのように戦っていくのかシミュレーションを徹底的に行ないました。

まさに「はじめに」で述べた「総力戦研究所」さながらです。それでいろいろなことが分かってきました。

西浦教授の活躍はすごかったと思います。天才と呼ばれる人がどのようにものを考えて、どのように動くのかよく分かりました。

北海道大学の高等教育推進機構科学技術コミュニケーション教育研究部門のサイトに西浦のインタビューが載っていたのですが、そこで彼はこう述べています。

《若手や大学院生には、何ヶ月も厚労省ビルにいさせて苦労をかけました。彼らは研究して学位をとらなければなりませんが、厚労省の中では大臣令もありますし、世の中も僕たちのことを見ているので、平日は夜中もふくめて研究できませんでした。時間は感染症対策のために使おうと、休日に研究していました。大変だったと思いますが、対策の現場を見せられたのは良かった面でもあるかなと思います。一〇年後、二〇年後、もしも僕がいない場合は彼らが国を守りますから》

彼らはリスクを取り、命を懸けて国を守ろうとしました。

京都大学の山中伸弥《やまなかしんや》教授も「新型コロナ対策をしなければ一〇万人以上の死者が出る可能性がある」と言いました。

専門家が強い警告を発したこともあり、今のところ日本は欧米レベルの惨事にはなっていません。二〇二〇年二月から新型コロナウイルス感染症の対策について医学的な見地から助言等を行なうために開催された「新型コロナウイルス感染症対策専門家会議」のやり方もかなりうまくいきました。

この専門家会議の妨害を続けたのが官邸です。

提言から「一年以上持続的対策が必要」との文言は削られ、「直近一週間の一〇万人当たりの感染者〇・五人未満」まで抑えるという手法は、首相補佐官の今井尚哉《いまいたかや》の反発で骨抜きにされました。

オオカミ少年の真実

新型コロナ対策の専門家は厳しい予測をしていました。

二〇二〇年四月一五日、厚生労働省クラスター（感染者集団）対策班にいた西浦は、人と人との接触を減らすなどの対策を全《まった》く取らない場合、国内で約八五万人が重篤《じゅうとく》になるとの試算を公表します。

そしてそのうち、約四二万人が死亡する恐れがあると警告を発しました。

これに対し、「恐怖を煽《あお》るな」「四二万人も死ななかったではないか」「西浦はオオカミ少年だから信用できない」などとあとから言い出す連中が現れます。

あまりにばかばかしいので、先日、YouTube の某番組に呼ばれたときに、イソップ寓話集の「嘘をつく子供」になぞらえて次のような童話をつくってみました。

※※※

ある村に羊飼いの少年がいました。

羊飼いの少年はオオカミが村に攻め入ってくることに気づき、急いで村の人々に「オオカミが来るぞ」と警告を発しました。

村人はオオカミを警戒しましたが、結局、オオカミは来ませんでした。

村人は羊飼いの少年を吊るし上げました。

「恐怖を煽るな」「嘘つきめ」「オオカミ少年は信用できない」

村人が警戒していたから、オオカミが山に引き返したのにもかかわらず。

※※※

西浦は「対策を全く取らない場合」の数字を挙げたのです。

専門家は新型コロナと同時にバカとも戦わなければなりませんでした。

反日売国奴――安倍晋三

国民を殺す政治家

二〇二〇年九月、専門家が危惧《きぐ》した通り新型コロナ感染拡大に歯止めがかからなくなる中、政府はイベント自粛基準の上限を五〇〇〇人に緩和《かんわ》します。逆噴射です。さらには「Ｇｏ Ｔｏキャンペーン」と称し新型コロナウイルス拡散の後押しまで始めました。

狂気の沙汰です。

コロナ担当で経済再生相の西村康稔《にしむらやすとし》は「感染拡大に注意して進める」と言っていましたが、これでは「死なないように注意しながら死ね」と言っているようなものです。国民を殺す政治家はいりません。

シャツの一番上のボタンを掛け違えれば、その下は全部ずれていきます。要するに安倍晋三が総理をやっていた時点で初動ミスは確定していたのです。

新型コロナが拡大する中、安倍がやったことはなにか?

武漢市や周辺地域にいる日本人と家族を帰国させる「武漢オペレーション」を実施したくらいで、あとは桜を見る会事件や東京高検検事長の定年延長問題の追及から逃げまわっていただけです。

二〇二〇年二月二六日、安倍は対策本部で、突如スポーツ・文化イベントなどの二週間の自粛を要請することを表明します。その翌日には、三月二日から春休みまで全国の小中高校に一斉休校を要請すると言い出しました。これは専門家の意見も聞かずに、先述した今井尚哉が提案したものを安倍が独断で決めたものでした。

安倍は「政治は結果責任。その責任から逃れるつもりはなく、その責任を先頭に立って果たす」と開き直っていましたが、安倍がこのように言うのは、過去の事例からも分かる通り、一切責任を取るつもりがないときです。

行動も発言もすべてがデタラメでした。

安倍は、学校を閉鎖し、学童保育（放課後児童クラブ）を受け皿にすると言い出しましたが、学校なら新型コロナに感染して学童保育なら感染しないのでしょうか？科学的根拠を問われた安倍は「疫学的な判断をするのは、困難である」と答弁しましたが、無責任にも程《ほど》があります。「必ず乗り越えることができると確信している」とも言っていましたが、これでは国の崩壊に突き進んでいった先の戦争と同じです。根拠なき確信と神風頼り。戦後の対米隷属と平和ボケの中で、日本人は危機を感知する能力を失い、過去の悪霊の復活を許してしまいました。

「いけないことなのか」

二〇二〇年二月、新型コロナの感染拡大防止が叫ばれる中、安倍は連日のように宴会三昧《ざんまい》。

大型クルーズ船のダイヤモン

1954年生まれ。第90、96、97、98代内閣総理大臣。成蹊大学卒業後、神戸製鋼所勤務を経て、1993年、衆議院議員初当選。

ド・プリンセス号で乗客が新型コロナに感染し、その数が増えていった同月一二日以降、（一一日間）のうち九日間会食していました。

それについて立憲民主党の議員から「民間企業は飲み会を自粛している。首相の危機感のなさが国民を不安にしている」と批判されると、安倍は「いけないことなのか」と反論。

私は岡村靖幸《おかむらやすゆき》の『イケナイコトカイ』を思い出しましたよ。

本当に脱力します。

さらに安倍は宴会ではなくて、意見交換だとして、今後も自粛はしない方針を示します。

では、誰と意見交換していたのでしょうか？

いかがわしいネトウヨを公邸に招いていただけです。

当時、秋葉賢也《あきばけんや》首相補佐官、小野寺五典《おのでらいつのり》元防衛相、杉田水脈《すぎたみお》もパーティーを開いていました。国民にはイベント自粛を呼びかけながら、率先して飲み歩く。新型コロナウイルスをめぐる政府のデタラメな対応は、日本人が不道徳な政権を長年にわたり放置してきたツケを払うときがめぐってきたことを示しています。

ちなみに、安倍の首相連続在職日数は二八二二日で憲政史上最長。安倍は「政治においては、何日間在職したかでなく、なにを成し遂げたかが問われるんだろうと思うが、この七年八カ月、国民の皆さまにお約束した政策を実行するため、結果を出すために一日一日、その積み重ねの上にきょうの日を迎えることができたんだろうと考えている」とコメントしていました。

一体どこのパラレルワールドの住人なのでしょうか？

成し遂げたのは国家と社会の破壊くらいで、国民との約束を守らなかったことが問題になっているのにもかかわらず。安倍政権の七年八カ月は、国と社会に対するテロでした。

バカはとりかえしがつかなくなったあとに騒ぎ出します。「だからあれほど言ったのに」という感想しか出てきません。

国家軽視の結果

二〇二〇年二月二九日、新型コロナウイルスへの政府の対応に関する会見が行なわれましたが、安倍は、広報官が書いた原稿と事前に用意された記者の質問への返答(要するに出来レース)をそのまま読み上げ、最後は他の記者の質問を打ち切り、わずか三六分で自宅に帰っていきました。やる気の欠片《かけら》もありません。

欧州全域を対象とする水際対策も、安倍が躊躇《ちゅうちょ》したため大きく遅れます。

二〇二〇年三月末以降の日本の新型コロナ感染の拡大は、欧州由来であることはすでに分かっているので、要するに人災です。

新型コロナウイルスは、わが国の危機管理の脆弱性《ぜいじゃくせい》を誰の眼にも見えるように明らかにしてしまいました。われわれ日本人は新型コロナウイルスと安倍という二つの敵に直面することになったのです。

私は昔から安倍とその周辺は反日売国カルトだから、放置しておくと国が壊れると指摘してきました。自民党が国民政党であったのは昔の話で、現在は新自由主義勢力と政商、カルトの複合体となっています。

政治制度の改悪とマーケティングの手法の導入により、いかがわしい連中が国家の中枢に潜り込んでしまった。その結果、国家の中枢から国家が解体されるという倒錯《とうさく》が発生します。

のちほど詳しく述べますが、こうした国家の軽視が新型コロナをめぐる一連の騒動につながっていると思います。

以前、私はツイッターに次のような文章を書きました。

《「だったらどんな総理大臣がいいんだ?」と聞かれました。私は総理大臣は哲人である必要はないと思っております。まずは常識人であること。人の痛みが分かること。義務教育修了程度の学力。最低限の品性。そして自分の役職や権限が分かっていること。「私は立法府の長」とか言う狂人は論外です》

さらに言えば、総理大臣は嘘をつかない人がいいと思います。

「移民政策はとりません」「採択されている多くの教科書で自衛隊が違憲であるという記述がある」「土砂投入に当たって、あそこ(埋め立て区域2—1)のサンゴは移している」「（福島の原発事故の）状況は、統御されています」といった膨大《ぼうだい》な数の嘘とデマを垂れ流すような人物は論外です。

また、沖縄県沖で米軍のF15戦闘機が墜落した件について「（飛行）中止を申し出た」とか、「北方領土問題を解決した上で平和条約を締結するのが日本の原則だと（プーチンに）直接反論した」などと外交の場においても平気な顔で嘘をつく奴は、安全保障上大きな問題があります。

平気な顔で嘘をつく人間

新型コロナに関しても、口を開けば嘘ばかり。

二〇二〇年四月六日、安倍は「病床の確保については、現在二万八〇〇〇の病床を五万床まで増加させる」と述べましたが、東京新聞が集計したところ約一万六〇〇〇床であり、安倍が挙げた数字はたんに空《あ》いているベッドの数でした。このように誤魔化すわけです。

同月一三日、安倍は「休業に対して補償を行なっている国は世界に例がなく、わが国の支援は世界で最も手厚い」と発言します。

これも大嘘です。

ドイツもイギリスも休業補償を行なっています。

安倍の最大の特徴は、根も葉もない嘘を平気な顔で垂れ流すことです。

安倍は、子供のときからその場しのぎの嘘をつき続けてきた人間です。この件に関し、ヤフーニュースに「緊急時のウソは本当にやめてください」（藤田孝典）という記事が載っていましたが、ツイッターには「安倍首相がフェイクニュース震源地」というタグまでできていました。

同年三月二三日、安倍は「国会答弁で悪夢のような民主党と答えたことはない」と発言しましたが、国会では「悪夢のような民主党」と何度も言っています。

さらに言えば、その「悪夢」が現実化したのが安倍政権です。民主党の一番危険なところ愚劣なところを集約。民主党がつくった売国法案の数々も安倍政権が通しています。安倍は菅直人《かんなおと》の劣化バージョンに過ぎません。

政治の裏で動いているのは、この三〇年同じような連中です。

「民主党に騙されたー」とか言いながら、安倍というデマゴーグに騙されてきたバカは、死ぬまでいろいろなものに騙され続けるのでしょう。

安倍が中国全土に入国制限の対象を広げることをせず、入国禁止措置の発動が遅れた理由は、二〇二〇年四月に予定されていた習近平《しゅうきんぺい》国家主席の訪日に影響が出ることを恐れたからです。同年三月五日、官房長官の菅義偉《すがよしひで》は習近平の訪日延期を発表しましたが、その三時間後に安倍は中国全土からの入国制限を発表。猿芝居もいいところです。

北方領土とロシアの基本法

新型コロナの影響もあり、自宅でアマゾンのプライム・ビデオを観ることが多くなりました。

先日は『ミセン―未生―』という韓国ドラマを観ましたが、なかなか面白かったです。主人公は囲碁のプロ棋士を目指すも挫折し、コネで大手商社に入社した契約社員です。あるとき、プロジェクトにトラブルが発生し、だいたい次のような会話がなされます。

契約社員の青年が言います。

「すみません。僕の責任です」

上司は冷たくこう答えます。

「思い上がるなよ。お前にどんな責任が取れるんだ」

このシーンを見て、私は現在あらゆる疑惑から逃亡中の安倍を思い出しました。問題が発生するたびに「アタクチに責任がある」と言うものの、責任を取ったことは一度もありません。これは安倍のデタラメな人格、幼児性だけに帰せられる問題ではないと思います。そもそも最初から主体的かつ責任ある選択をしていないので、責任の取りようがないのです。

だから安倍本人も「なぜアタクチがいじめられるのか」と不服に思っていると思います。

ロシア大統領のウラジーミル・プーチンは、二〇二一年二月一四日に放映されたテレビ番組で「ロシアの基本法（憲法）に反することは一切行なわない」と発言します。ロシアでは二〇二〇年七月の憲法改正で領土の割譲《かつじょう》を禁じる条項が新設されています。領土割譲の禁止条項には「隣国との国境画定作業は除く」とする例外規定がありますが、それが適用されるはずもありません。

プーチンは、日ロ間の境界線について、「ラブロフ外相に尋ねるべきだ」とも発言。周知の通り、セルゲイ・ラブロフは領土問題は存在せず、国境も画定済みだとする立場です。要するに、北方領土がこの先戻ってくる可能性はほぼゼロです。

日米地位協定と横田基地

二〇一八年九月一〇日、国際会議でプーチンは、平和条約締結後に二島の引き渡しを明記した日ソ共同宣言に言及した上で、「前提条件をつけずに年内に平和条約を締結し、すべての問題の議論を続けよう」と答えました。これは日本とロシアが積み重ねてきた交渉のすべてを反故《ほご》にするものですが、安倍は毅然《きぜん》とした態度で反論するどころか、なぜか満面の笑みを浮かべ、ヘラヘラと笑っていました。

この態度が問題になると、安倍は支離滅裂《しりめつれつ》な説明をはじめ、先述したように、プーチンに対し「北方領土問題を解決した上で平和条約を締結するのが日本の原則」だと直接反論したと嘘までつきます（ラブロフは安倍の発言を否定）。

このような人間が諸外国からどのように見られているかは想像に難《かた》くありません。金づる、パシリ、歩くＡＴＭ、ネギを背負った鴨といったところでしょう。

同年一二月、プーチンは「日本にどのくらい主権があるのか分からない」と発言します。

この言葉は本質をついています。

アメリカ大統領のトランプが横田基地から入国したときも、日本は文句の一つも言いませんでした。米軍人はパスポートも必要ありません。要するに治外法権です。

安倍は国会答弁で「日米地位協定は運用改善だけで十分。改定は必要ない」という立場を取り続けました。拉致問題を放置し、不平等条約締結に邁進《まいしん》、放送局の外資規制の撤廃までもくろんでいました。

アメリカに国家主権をゆだねている国が主体的な判断を下せるわけがありません。

プーチンが安倍に言ったのも、韓国ドラマの商社の上司と同じです。

「思い上がるなよ。お前にどんな責任が取れるんだ」

新型コロナウイルスのワクチン開発でも、日本は完全に出遅れました。

結局は海外のワクチンを調達することになり、海外メーカーの条件も丸飲みしています。

国際社会の中で、日本政府が主体的に動くことは、ついぞありませんでした。

国家の私物化

われわれが目撃してきたのは、究極の無能が担《かつ》がれ、日本が三流国家に転落していく過程でした。そこを新型コロナが直撃します。

安倍には義務教育レベルの知識がありませんでした。過去には《ポツダム宣言というのは、アメリカが原子爆弾を二発も落として日本に大変な惨状を与えたあと、「どうだ」とばかり（に）たたきつけたものです》（「Ｖｏｉｃｅ」二〇〇五年七月号）と語っていましたが、ポツダム宣言は七月二六日、原爆投下は八月六日と九日です。

原爆投下の時系列も知らずに「戦後レジームからの脱却」を唱え、表現の自由も法の支配も理解せずに憲法を変えると言うのは、本当に恐ろしいことです。

安倍によると、「総理大臣の説明が正しい理由は私が総理大臣であるから」であり、「総理大臣は森羅万象を担当している」とのこと。

北朝鮮による拉致問題は放置されたままですが、安倍は「お告げ」「悪霊祓い」「手かざし」を行なう宗教団体「慧光塾《えこうじゆく》」の代表である光永仁義《みつながひとよし》の名前を出し、「(光永氏の)パワーで北朝鮮を負かしていただきたい」と語っていました。

安倍とカルトの関係は根深い。

「桜を見る会」には、統一教会の関連政治団体・世界戦略総合研究所の事務局次長や悪徳マルチ商法「ジャパンライフ」の会長、反社会勢力のメンバー、半グレ組織のトップらが招かれています。

「桜を見る会」は総理大臣が主催する公的行事で「各界で功労・功績のあった方々を慰労する」のが目的です。一九五二年から新宿御苑《しんじゆくぎよえん》で行なわれていましたが、安倍政権になってからは予算も招待者も急増していました。

安倍は桜を見る会の前夜祭について「後援会としての収入、支出は一切なく、事務所側が補塡したという事実も全くない」と繰り返してきたが、案の定嘘でした。

前夜祭をめぐっては、政治資金規正法違反や公職選挙法違反（寄付行為）の疑いで刑事告発が相次ぎましたが、東京地検特捜部は安倍と公設第一秘書らの事情聴取を行ないます。

安倍は自分に近い黒川弘務《くろかわひろむ》を検事総長にする工作に失敗。安倍は「私は立法府の長」と国会で四回も言っていましたが、あれは言い間違えではなくて、本気だった可能性があります。司法府に手を回そうとしていたわけですから。

これは「国家の私物化」そのものです。

安倍とつながりを持つ勢力にどのような「功労・功績」があったのかを明らかにすべきでしょう。

国のトップは「常識人」であれ

現実と嘘の間に矛盾が発生すれば、言葉の定義自体を変えてしまう。たとえば、自民党は「そもそも」「反社会勢力」の定義も閣議決定で勝手に変えてきました。都合の悪い事実は隠蔽《いんぺい》し、嘘とプロパガンダを垂れ流す。

結局、勝ったのは心理学であり負けたのは人間です。

現在は広告会社によるマーケティングとプロパガンダで政治が動いています。その背後には悪性のニヒリズムがあります。議論によって相手を説得し、合意形成を目指すよりも、社会に一定の割合で存在するバカの動向をマーケティングで探り、プロパガンダにより「ふわっとした民意」をすくい上げたほうが手っ取り早いと考える連中が、政権中枢にもぐりこんだ。その結果が現在の惨状であり、ついには連中は国民に牙《きば》をむき始めたのです。

私は「国賊」という言葉は安易に使うべきではないと思います。

この言葉は、都合の悪い人間にレッテルを貼るために使われてきました。戦時中に戦争に反対すると「国賊」「売国奴《ばいこくど》」「非国民」と罵倒されました。しかし、戦争に反対するのが、国家に仇《あだ》するとは限りません。それどころか、無謀な戦争は国を壊します。

言葉は厳密に定義し、かつ正確に使うべきです。

事実として、国を乱し、世に害を与えてきた安倍は典型的な国賊です。

卑劣《ひれつ》で幼稚な社会の空気が、ああいうモンスターを生み出したのです。

三笠宮崇仁親王《みかさのみやたかひとしんのう》は《偽《いつわ》りを述べる者が愛国者とたたえられ、真実を語る者が売国奴と罵《ののし》られた世の中を、私は経験してきた》（『日本のあけぼの　建国と紀元をめぐって』）とおっしゃっていました。

新型コロナ下においても噛み締めたい言葉です。

無知は怖いが無恥はもっと怖い。

やはり大事なことは、「常識人」であることです。

陰湿なチンパンジー――菅義偉

チンパンジーの次は陰湿なチンパンジー

以前、次のようなツイートをしたら、かなり反応がありました。

《「安倍さんを降ろして、その先はどうするんだあ！」という安倍信者みたいなのがいた。チンパンジーがトラックを運転していたら、とりあえず止めるのが先でしょう。バカなんですかね？》

そのチンパンジーがトラックを降りたのはよかったのですが、その次は陰湿なチンパンジー菅義偉でした。

当初は、「叩き上げ」「苦労人」などともてはやされていましたが、叩き上げで苦労人だったら悪党でもいいのでしょうか？

苦労人であるかどうかと能力はなんの関係もありません。
菅は安倍政権を七年八カ月にわたって支え続けた〝共犯者〟です。どう考えても、安倍と一緒に失政の責任を追及される側の人間です。

そもそも苦労人というのも怪しい。

「週刊文春」には《実家はカリスマ農家、父は町議、姉二人は教師　菅義偉「美談の裏側」　集団就職はフェイクだった》と全部ばらされていました。

昔、詐話《さわ》師栗良平《くりりょうへい》の「一杯のかけそば」騒動というのがありましたが、菅は段ボール工場で働いていたことを「美談」にしたかったようです。しかし、実際には数カ月で退職し、アルバイトをしながら大学生活を満喫。結局苦労が足りなかったから、社会的弱者に冷たいのでしょう。それは新型コロナ対策一つとってもそうです。

菅は「国民のために働く内閣」をスローガンとして掲げましたが、アホにも限度があります。政治家が国民のために働くのは当たり前です。アメリカのために働いてきた安倍と一線を画すとも思えません。

いわゆる「菅話法」があります。

「その指摘はあたらない」「答弁を控えさせていただく」「いま答えた通り」……。こうした菅の態度はメディアや記者に対する強硬な姿勢と捉えられてきましたが、単に言葉で説明する能力、他人とコミュニケーションを取る能力が著しく欠如《けつじょ》しているだけです。

二〇一五年四月五日、沖縄県の基地移設問題をめぐり翁長雄志《おながたけし》知事と会談したときも無知と無恥をさらけ出します。

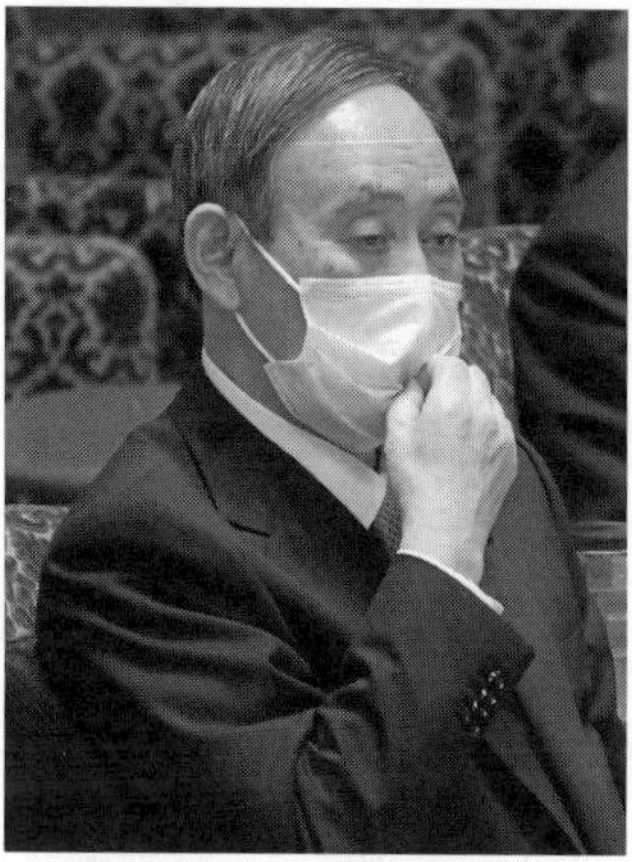

1948年生まれ。第99代内閣総理大臣。高校卒業後に上京し就職。法政大学卒。1996年、衆議院議員初当選。

「（普天間基地の）固定化は絶対に避けなければいけない。移設の原点を忘れてはならない」という立場の菅に対し、翁長は沖縄の苦難の歴史を語ります。

すると菅は「私は戦後生まれなので、歴史を持ち出されたら困る」と言い放ちました。

支離滅裂、意味不明。これはトンデモない発言です。

辺野古移設問題はまさに歴史の問題です。

この言いぐさが通るなら、戦後生まれである国会議員の大多数は歴史を無視していいという話になります。

ポツダム宣言がいつ出されたかも知らず、歴史を捏造《ねつぞう》してきた安倍政権を引き継いだのは、そもそも歴史を「なかったこと」にする最低の男でした。

新型コロナ対策で迷走

こんなデタラメな人間に、まともな新型コロナ対策ができるわけがありません。

実際、すぐに菅のメッキは剝《は》がれます。

「菅義偉には期待していたけど裏切られた」というツイートもありましたが、菅に期待する時点で、病院に行ったほうがいい。七年八カ月にわたり官房長官をやって、安倍の悪事を支え、日本をボロボロにした男に期待するとは、頭の具合でも悪いのでしょうか?

財界に媚《こ》びを売り、経済最優先で、空港の検疫もガバガバ。

平気な顔で嘘をつくのも安倍と同じです。

二〇二〇年一一月、菅政権は「勝負の三週間」を掲《かか》げ、感染対策を打ち出します。「Ｇｏ Ｔｏキャンペーン」が感染拡大を招いたとの批判を浴びた菅は、「分科会からトラベルが感染拡大の主要な要因でないとの提言をいただいている」と専門家に責任を転嫁《てんか》します。それに対し分科会の尾身茂《おみしげる》会長は、国会の閉会中審査（同年一二月一六日）に出席し、「人の動きを止めることが重要で、Ｇｏ Ｔｏも考えるべきと再三申し上げている」と証言します。

二〇二一年一月四日の年頭会見で菅は「医療崩壊を絶対に防ぎ、必要な方に必要な医療を提供いたします」、一都三県に緊急事態宣言を発出した同月七日の記者会見では「一カ月後には必ず事態を改善させる。そのために総理大臣としてありとあらゆる対策を講じて参ります」と発言。

「絶対」「必ず」と言いながら、その結果は周知の通りです。

さらには、発令した緊急事態宣言の効果が出なかった場合について質問されると

「仮定のことは考えていない」と返答します。

無責任にも程があります。

最悪のケースを仮定して、対策を怠《おこた》らないのが危機管理の基本でしょう。

迷走したあげく、「ワクチンは感染対策の決め手だ」と結局は神風頼み。これでは国が滅びます。

菅の持論は「国民から見て当たり前のことをやる」です。

だったら、すぐに総理を辞めたほうがいい。

二〇二〇年一二月一六日、防衛省・自衛隊の幹部約九〇人が参加したビデオ会議で菅は「リーダーたるもの、問題を解決しなければならない。問題を解決しない人はリーダーではない」と訓示を垂れます。

完全に冗談みたいな国になってしまいました。

菅は二〇二一年の年頭所感で「皆さまと未曽有《みぞう》の国難を乗り越える」などと言っていましたが、自分の存在が「未曽有の国難」であるという自覚がないところが、「未曽有の国難」なのです。

維新の会の黒幕

菅がやってきたことは事実の隠蔽《いんぺい》です。

森友学園問題に関連する公文書改竄《かいざん》事件、「桜を見る会」に関連する権力の私物化、北方領土の主権の棚上げ問題……。いずれも闇の中です。というより、闇の中に葬り去ろうという明確な意思を感じます。説明から逃げ、論点をはぐらかし、時間を稼げば、どうせ世間は忘れると思っているのでしょう。

菅は総裁選の公開討論会で森友学園への国有地売却について「結果は出ている」とし〝解明不要〟との立場を鮮明にしました。またテレビ番組で、政府の政策決定後に反対する官僚は異動させる方針を示します。内閣人事局についても見直す考えが「ない」と明言。要するに政権に忖度《そんたく》する官僚以外は排除するという宣言です。

橋下徹《はしもととおる》を政界に引き込んだのも菅です。

すでに述べたように人間の心の闇、脆弱な部分を狙い撃ちにしたテクノロジーが発達すれば、ニヒリストは算盤《そろばん》をはじきながらそれを利用する。

維新の会に悪党が集まるのは構造的な問題です。

そして背後にいるのが菅義偉やパソナグループ会長で〝政商〟の竹中平蔵《たけなかへいぞう》らです。

橋下は「基本的には竹中さんの価値感、哲学と僕らの価値感、哲学は全く一緒」と述べています。

菅が総理になりそうになると、維新の会周辺は鼻息が荒くなり、ヨダレを垂らし続けました。

大阪市長の松井《まつい》一郎《いちろう》は「早期に安倍晋三政権を引き継ぐ首相を決定してほしい」、大阪府知事の吉村《よしむら》洋文《ひろふみ》は「菅官房長官は本当に適任の方だ」と全力で尻尾を振ります。

橋下は「ものすごい実務能力に長《た》けている人」「霞が関を動かす特殊能力の持ち主」「菅官房長官の一番すごいところは、出来ないことは出来ないと言ってくれる。やれると言ったことは絶対にやってくれる」と礼賛《らいさん》。

「必ず結果出す」「必ず一カ月での事態改善」……。

コロナ対策一つ見ても分かるように、出来ないことを出来ると言い、やれると言ったことをやらないのが菅です。

菅は総裁選の出馬会見で「(安倍政治を) しっかり継承し、さらに前に進める」と発言します。この先も暗黒時代は続くのでしょう。

バカがばれてしまった

不幸中の幸いはバカがばれるのが早かったことです。

麻生太郎《あそうたろう》は漢字が読めなかったし、安倍晋三は日本語が苦手だったが、菅の場合、自分の発言の内容すら理解していない。

二〇二一年一月一八日、菅は施政方針演説で、脱炭素化の推進に関連し「あらゆる主体」を「あらゆるぜんたい」、不妊治療と仕事の両立をめぐっては「後ろめたい」を「後ろめいた」と原稿を読み間違えました。

二〇二〇年一〇月二六日の所信表明演説では「重点化」を「げんてん化」、「改定」を「かいせい」、「貧困対策」を「貧困せたい」、「被災者」を「ひがいしゃ」と誤読します。

同年一〇月一九日には、外遊先のベトナムで「ASEAN」を「アルゼンチン」、「カバレッジ」を「カレッジ」と勝手に脳内変換しました。

揚げ足を取りたいのではありません。

誰でも読み違えることはあります。

しかし、菅の場合、政治家としてのデタラメさに直接つながっているのです。

政府のコロナ対策本部における発言では、緊急事態宣言の対象に追加された「福岡」を「しずおか」と誤読。議論の経緯を理解していればこういう誤読が発生する余地はありません。要するに他人事《ひとごと》なのです。結局、被害を被《こうむ》るのは国民です。

トランプが新型コロナウイルスに感染したときには、菅が見舞いのメッセージをツイッターに書き込み話題になりました。自民党内からも「英語のレベルがあまりに低い」「表現が不自然」「和文を自動翻訳したのでは」などと問題視する声が噴出します。

結局、自分の言葉で語ることができないから、こういうことになるのです。

官房長官時代には、愛媛県の「伊方《いかた》原発」を「いよく原発」、大阪府北部を震源とする地震の際には「枚方市《ひらかた》」を「まいかた市」と誤読しました。

挙動も言動も不審。会見で医療体制を強化するための法整備について、「国民皆保険、そして多くのみなさんがその診察を受けられる今の仕組みを続けていく中で、コロナがあって、そうしたことも含めてもう一度検証していく必要があると思っていいます。必要であれば、そこは改正をするというのは当然のことだと思う」と発言。

国民皆保険制度を廃止するのかと騒ぎになり、官房長官の加藤勝信《かとうかつのぶ》が火消しに追われました。

肥大化した自己愛――小池百合子

こじらせた自己愛

大災害が発生すると、デマゴーグの類が必ず出現します。今回もいかがわしい連中が「新型コロナはただの風邪」などと無責任な発言を垂れ流していました。一部の政治家はそれを確信犯的に利用します。都合のいいデータだけを使い、不都合なものは隠蔽するのです。

二〇二〇年三月、東京都は厚労省クラスター対策班の押谷仁《おしたにひとし》東北大教授による感染拡大を予測した二通の重要文書を受け取りながら、その後こっそり廃棄していました。

東京都知事の小池百合子《こいけゆりこ》が専門家の警告を都民に知らせずに黙殺したのは、東京オリンピックが中止になるのを恐れたからでしょう。実際、二〇二〇年三月二三日に安倍が五輪延期を容認した直後に、別の日に作成された関連文書を発表しています。

その翌日には「都市の封鎖、いわゆるロックダウンなど、強力な措置」を取る可能性に言及します。日本の法制度では国や地方公共団体は外出の自粛を要請することはできても、禁止を命ずることはできません。

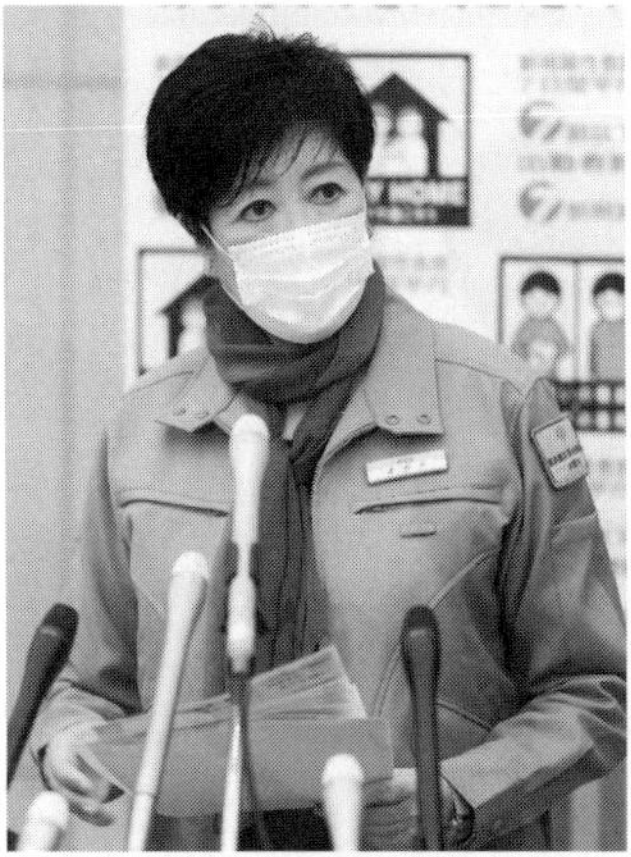
1952年生まれ。東京都知事。キャスターなどを務めた後、92年政界入り。環境大臣、防衛大臣などを歴任。

それを承知で小池はこうしたパフォーマンスを行ないます。たしかに新型コロナと戦うためには、強力な権力を発動させる必要があります。しかし、小池の場合、過去の言動からも分かる通り強権を振るうことに快楽を感じる〝ファシスト体質〟によるものなのです。

二〇二〇年六月二日、東京都は独自の警戒情報である「東京アラート」を発動します。警戒が発動すると、都庁舎とレインボーブリッジが赤くライトアップされる悪趣味なものでしたが、同月一一日には解除されます。

東京で感染者が増え続ける中、「東京アラート」の運用をやめた理由を聞かれた小池は「話題になったこと自体に意味がある」「これからは自らの力で守る自衛の時代。自粛から自衛の局面だ」と吐き捨てました。

「Ｇｏ Ｔｏトラベル」キャンペーンに関しても、言及を避けたり、批判してみせたり一貫した姿勢を示すことはありませんでした。結局、社会の空気だけ見て動いているので発言がコロコロ変わるのです。

小池は新型コロナの感染を防ぐためには、（一）換気の悪い密閉空間（二）多くの人の密集する場所（三）密接した会話を避けるという「ノー　三密」の徹底が重要だと言い出します。

また、東京はウイルス感染の発見が困難な若年層の「クラスター」が発生する恐れがあると指摘。ＩＯＣ（国際オリンピック委員会）によるオリンピック延期の判断については、「（大会に）関わっているステークホルダーはたくさんいる」「東京都は一番重要なステークホルダーであろうと思う」と述べました。

今では「ロックダウン」「クラスター」という言葉は大勢の人が知っていますが、当初は分からない人が多かった。「危機的状況においては一般人が分からないカタカナ言葉を使うべきではない」との声が広がりましたが、小池がカタカナ英語で煙幕《えんまく》を張るのはいつものことです。

というより、小池はただそれだけでこれまで政治家を続けてきました。小池からこのネタを奪ったら、なにも残りません。

この手の芸は、昔からあります。ボードビリアンのトニー谷《たに》は片言の英語を日本語に混ぜる芸（トニングリッシュ）を確立します。赤塚不二夫《あかつかふじお》はトニーをモデルにして『おそ松くん』で、自称フランス帰りの「イヤミ」というキャラクターをつくり上げました。自称「カイロ大学を首席で卒業」という小池のプロフィールもその系譜でしょう。

〝政界のルー大柴《おおしば》〟と呼ばれる小池のリーダーシップ哲学は「コンビクション」であり、東京は「サスティナブル」な「ダイバーシティー」であるべきで、エネルギー政策は「ゼロ・エミッション」を目指すそうです。

クール・ビズ、ブルーオーシャン、スプリングボード、ワイズ・スペンディング、アウフヘーベン、フィンテック、ホイッスルブロワー、モメンタム……。

小池がやってきたのは、その時々の社会の気分に怪しげなカタカナを当てはめるだけ。小池は〝権力と寝る女〟と揶揄《やゆ》されるが、結局〝時代〟と寝てきたのです。空虚であること。これこそが小池の強さなのでしょう。

今回の新型コロナのような大災害があると、小池は輝きます。

小池が一貫して流したメッセージは、「官邸と張り合う、輝いている私を見て！」でした。しかし、政治家はコピーライターでもお笑い芸人でもありません。小池の自己愛につきあう必要はないのです。

「隠蔽ゼロ」？

二〇二一年二月一七日、小池は施政方針演説で東京五輪について「開催都市の責務を果たすべく、安全安心な大会を実現する」と述べました。また「私たちの前に立ちはだかるのは新型コロナウイルスと気候危機だ」と指摘。医療提供体制の拡充やワクチン接種の円滑な実施を強調し、「デジタル化の遅れなどコロナが見せつけた課題を直視し、構造改革を推し進める」と述べました。

なにを言っているのか分からない。構造改革で日本がボロボロになった結果が、今のわが国の惨状なのに、口を開けば、「改革」です。

二〇二〇年七月五日の都知事選でも小池は「改革」を連呼します。「東京大改革2・0」などとも言っていましたが、二〇一六年七月の都知事選で掲げた「東京大改革宣言」「七つのゼロ」も口先だけのデタラメでした。

「待機児童ゼロ」も「残業ゼロ」も「満員電車ゼロ」も「介護離職ゼロ」も「都道電柱ゼロ」も未達成。「多摩格差ゼロ」は数値目標がなくそもそも意味不明。「ペット殺処分ゼロ」は達成したと胸を張っていましたが、定義を変更して書類上ゼロにしただけです。

要するに達成ゼロです。実現ゼロ。知性もゼロ。責任感もゼロ。永遠のゼロ。そんなものをバージョンアップしてなにか意味があるのでしょうか？

「七つのゼロ」以外にも、「隠蔽《いんぺい》ゼロ」というのがありましたが、小池が都政でやってきたことは隠蔽そのものでした。

「私が提唱する『東京大改革』の一丁目一番地は、情報公開です。都の事業に関する過程を記録に残し、公開の要請があれば原則公開にする。歴史の検証に耐えうる『当たり前の都政』には欠かせません」「手続きや意思決定を白日《はくじつ》の下《もと》で行なうことが、都民に対する説明責任の果たし方だと思うんです。だから、最初に情報公開に取り組みました」などと言いながら、小池の政策決定のプロセスは完全に密室の中で行なわれました。

維新の会の背後で動いていた慶應義塾大学教授で経営コンサルタントの上山信一《うえやましんいち》や環境活動家で青山学院大学教授の小島敏郎《こじまとしろう》を顧問として雇い、まさに「三密」の密室政治をやっていました。

上山は「大阪都構想」という名の大阪市解体工作や大阪の市営地下鉄の民営化構想などにもかかわったいかがわしい人物です。東京オリンピックの競技会場見直し騒動も、上山が中心になって仕掛けたものでした。豊洲市場《とよすしじょう》移転問題では関係者が振り回されましたが、ここには小島が関与しています。

彼らは選挙で選ばれたわけでもないし、アドバイザーに過ぎないのですが、都の内部ではこうした連中が政治を動かしていたのです。

新型コロナについても小池は独断を連発します。

当事者であるにもかかわらず東京五輪の開催費用を批判してみせ、開催にこだわることにより、新型コロナへの対応をおろそかにした挙句、自分が強烈にリーダーシップをとってきたかのように振る舞い始めました。

一貫して「ファクト」を無視

小池は「都民はファクトを知りたい」などと言いながら、一貫して「ファクト」を無視してきました。新型コロナのような問題が発生したときに、一番かかわってはいけない人間です。

過去を振り返り、いくつかの例を挙げておきましょう。

小池は二〇一六年七月の都知事選で当選すると、築地市場《つきじしじょう》から豊洲市場への市場移転問題に首を突っ込み、専門家の検証に難癖をつけ、社会不安を煽り、「総合的な判断で決める」などと言いながら移転を先延ばししました。

これは「ファクト」に基づくものではありませんでした。

基準値を大幅に上回る有害物質が検出された豊洲市場の地下水のモニタリング調査では、調査した業者が「都に指示され、適切ではない方法で採水を行なった」と暴露《ばくろ》。この件について問われた小池はこう答えます。

「いろいろ理屈はあるでしょうが、九回目の調査も衆人環視の中で、国のガイドラインに則《のっと》った方法でやっています。井戸の変形が見つかり、これまでと採水方法を変えざるを得ないという事情もあった。もちろん、一九日に公表予定の再調査の数字を見ないと正確なことはいえませんが、都民の皆さんは九回目の数字がおかしいと思うのか、それとも一～八回目の数字のほうがおかしいと思うのか。皆さんの受け止め方こそが最も重要だと考えます」

論理のすり替えもいいところです。

採水方法を変えれば数値が異なるのは当然です。そこを指摘されているのに、「皆さんの受け止め方」の話にしてしまう。

小池は言います。

「『もう完成しちゃったのだから』『土壌対策の八五〇億円を加え、六〇〇〇億円もかけたのだから』。即時移転を唱える方々は奇妙にも異口同音に語ります。しかし、こうした理由だけで、移転を決断することはできません。科学的・法的な安全に加え、消費者の理解と納得による安心の確保が欠かせないからです。安心の明確な基準はありませんが、消費者は食品を選ぶ際に、産地はどこか、会社はどこかと、総合的に判断を下しているのではないでしょうか」

「安心の明確な基準」はないと言いながら、「安心の確保が欠かせない」と言う。

既視感があると思ったら、新型コロナ対策や東京五輪と同じです。

要するに、自分の胸三寸で決めるということです。

専門家の検証により豊洲市場の安全性が確認されたあとも、小池は都民の不安を煽る発言を繰り返します。こうして厖大《ぼうだい》な税金がドブにぶち込まれました。

「輝く私を見て！」

結局、新型コロナをお題にして、「輝く私」を演出・パフォーマンスしていくことが小池の最大の関心事なのです。小池は目的のためなら、現実も歴史も修正していくタイプの人間です。

東京都がホームページで公開している小池の記者会見録は削除したり、書き換えたりしています。事実関係が間違っている場合でも注釈も付けず改変しているので、あとから検討することもできません。これは歴史の修正です。

また、飲食店などへの時短営業要請をめぐり、「接待を伴う飲食店」が当時は休業要請対象だったのに、小池は午前0時まで営業可能になるとデタラメな説明をしましたが、これも削除されています。

飲食店が感染防止対策でアクリル板を設置している取り組みについての「アクリル板をつくってすき焼きを食べて、おいしいかっていうのはよく分かりませんけれども」という都民の努力を嘲笑うかのような発言も削除。

こうした改変は担当部署の判断とされていますが、これまでも小池は「カイロ大学を首席で卒業した」などと過去を修正してきました。
「軍事上、外交上の判断において、核武装の選択肢は十分ありうる」といった過去の発言を公式サイトから削除したのも、矛盾はあとから修正すればいいと考えているからでしょう。

小池は自分はＡＩだと言います。

市場移転問題の最終判断の記録が都に残っていなかった件を追及されると、「最後の決めはどうかというと、人工知能です。人工知能というのは、つまり政策決定者である私が決めたということでございます」と答えています。

たしかに小池には人間らしい良心を見出すことができません。

世の中を混乱に陥れても、笑顔を絶やすことはありません。

ファクトを無視する政治家に危機管理はできません。

イソジン詐欺師――吉村洋文

「僕の考え方」

朝日新聞社が新型コロナウイルスに関し「対応を評価する日本の政治家」の名前を聞いたところ、第一位は大阪府知事の吉村洋文、第二位は小池百合子、第三位は北海道知事の鈴木直道《すずきなおみち》、第四位は菅義偉、第五位は各種疑惑追及から逃亡中の安倍晋三でした（二〇二〇年一一〜一二月調査）。

毎日新聞と社会調査研究センターによる全国世論調査（二〇二〇年五月六日）では、吉村がトップ、第二位が小池百合子、第三位が安倍晋三です。

「最も評価できない政治家」を聞いたのなら理解できますが、やはり日本は完全に壊れてしまったのでしょう。国民を騙す連中や周辺メディアが悪いのは当然ですが、何度も同じようなものに騙される奴も相当悪質です。

二〇二一年一月四日、大阪で新型コロナの感染急拡大が進む中、吉村は緊急事態宣言について「大阪は現状で感染急拡大を何とか抑えられている。今の段階では国に対して要請するつもりはない」と発言。

このバカ発言が批判されると、「感染拡大の明らかな兆《きざ》しが見えているので先手を打つべき」「大阪として緊急事態宣言の要請をすべきだというのが僕の考え方」（同月七日）と、三日前と正反対のことを言い出しました。

1975 年生まれ。大阪府知事。九州大学法学部卒業、2000 年弁護士登録。15 年大阪市長を経て、19 年より現職。

なにが「僕の考え方」「先手を打つべき」なのでしょうか？

すべて後手後手にまわった結果が大阪の惨状です。

新型コロナで府民が苦しもうが知ったことではないと思っている

のでしょう。「どんちゃん騒ぎを避けろ」と言いながら、不要不急の大阪市解体をめぐる住民投票を仕掛け、他の自治体で発生したいかがわしいリコール騒動に賛意を示したり、「嘘のような本当の話」と言いながらイソジンで新型コロナに打ち勝てると「嘘のような嘘」を拡散させたり。

記者会見で「いつ（緊急事態宣言）発令要請にと考えが変わったのか？」と聞かれた吉村は、「一つは五六〇名の一挙にガラスの天井が突き抜けた瞬間」と返答します。「ガラスの天井」とは、資質・実績があっても女性やマイノリティーを一定の職位以上には昇進させようとしない組織内の障壁のことです。リコールしなくてはならないのは、この手のバカです。

「年内にワクチンを打つ」

吉村は製薬ベンチャー「アンジェス」が開発中の新型コロナウイルスのワクチンを「（二〇二〇）年内に一〇万〜二〇万人に打つ」と大言壮語《たいげんそうご》していましたが、これもデタラメでした。

二〇二〇年一一月一九日、大阪の新型コロナの感染状況が最も深刻なステージ四（爆発的感染拡大）に迫ると、吉村は大阪ではこれから「病床トリアージをする」と宣言します。

トリアージとは、患者の重症度に基づいて、治療の優先度を決定して選別を行なうことです。災害医療等で、大事故、大規模災害など多数の傷病者が発生した際の救命の順序を決めるための基準であり、要するに「命の選択」です。生存の可能性が低い者は見殺しにするということです。

テレビ番組で吉村は「ＩＣＵっていうのは限りがありますから、そういった意味ではどこをどう命を救っていくのかという、そういった選別のような、これは本質的な議論をしなきゃいけない状況に……」「一定の本当にもう超高齢であったりご家族の同意が得られるような場合については、人工呼吸とかそういうのじゃなくて、これはもう若い人にそれをバトンタッチするというような判断というのが必要になってくることがあるかもしれない」と発言します。

ツイッターで「維新に殺される」というタグが広がったこともあり、吉村はまずいと思ったのか、「一部でなにか〝命の選別だ〟って言ってるアンチの人たちがいますが、それは違います。僕が言ってるのは、〝病床の最適化〟〝医療の最適化〟」などと弁解をはじめましたが、だったらわざわざ、最終段階において適用されるトリアージという言葉を使う必要もありません。

惨事便乗型ビジネス

吉村は、府独自の警戒基準「大阪モデル」に基づいて通天閣をライトアップすると言いながら、恣意《しい》的に運用した挙句なんだかよく分からないうちに終了。不都合なデータが出てくると、あとから基準を変更するのです。

要するに全くの無意味。

吉村は「震源地はある程度分かっている」とも言っていましたが、大阪では感染経路不明者が急増していました。これをデマと言わずになんと言うのでしょうか？

大阪府民の命など二の次なのでしょう。維新の会が大阪を牛耳《ぎゅうじ》るようになってからは、保健所の数も減らされました。

吉村は改正新型インフルエンザ等対策特別措置法に基づき、休業要請に応じないパチンコ店六店の店舗名を公表しましたが、興味深かったのは、これに対する反応です。ツイッター上には「吉村頑張れ」「店名だけでなく、会社名、オーナー名も公表しろ」といった言葉が並んでいました。

こうした素朴な怒りを利用することで勢力を伸ばそうとする集団には注意したほうがいいと思います。新型コロナ騒動で人々の不安や不満はたまりにたまっています。この手の連中にとっては最大のチャンスです。世論に火をつけるにはスケープゴートが必要になりますが、吉村はパチンコ店を狙いました。

断っておきますが、私はパチンコ店を擁護したいのではありません。

これが全体主義の典型的な手法であることを指摘したいだけです。

「社会の共通の敵」を設定し、さらしあげ、密告と私的制裁を奨励する。毛沢東《もうたくとう》の紅《こう》衛兵《えいへい》、ナチスのゲシュタポ、スターリンやポル・ポトがやったことも同じです。

維新の会がやってきたことは、惨事便乗型ビジネスです。

世の中に蔓延する不満や鬱憤《うっぷん》を吸収し、デマとプロパガンダにより情報弱者を洗脳して拡大していく。

国民は冷静になるべきです。吉村は「パチンコの依存症問題に正面から取り組むべき」などと言っていましたが、盗人猛々《ぬすっとたけだけ》しい。維新の会が進めるカジノ誘致によりギャンブル依存症は確実に増加するでしょう。

橋下徹は大阪について「こんな猥雑《わいざつ》な街、いやらしい街はない。ここにカジノを持ってきてどんどんバクチ打ちを集めたらいい」（二〇〇九年一〇月）、「小さい頃からギャンブルをしっかり積み重ね、全国民を勝負師にするためにも、カジノ法案を通してください」（二〇一〇年一〇月）などと発言しています。

いかがわしい集団には引き続き注意が必要です。

第二章

デタラメな政治家

歪んだ人間——麻生太郎

新型コロナは、はやり病

昔、麻生太郎が「とてつもない日本」とか言っていましたが、本当にとてつもないバカな国になってしまいました。それを見事に証明したのが麻生自身です。

　これだけマスクの着用の必要が唱えられているにもかかわらず、麻生はデタラメを貫き通しました。マスクから鼻を出したり、片耳に引っ掛けたままで記者会見を行ない、そのうちにマスクとしての効果がほぼない透明なマウスシールドを使い始めます。

麻生はこの危機を受けて「日本の立ち位置をどうしていくか改めて検討していかなければならない」などと言っていましたが、「これ（新型コロナ）は風邪だから、はやり病だから」「六月に何となく収まるのかなと思わないでもない」（二〇二〇年五月一二日）とも発言しています。

別に根拠はないらしい。

世の中には「何となく」で言っていい話と悪い話があります。

麻生は最初から新型コロナを舐《な》め切っていました。

経済を優先させるために緊急事態宣言を出すことに消極的だったのも麻生です。

1940 年生まれ。財務大臣。学習院大学卒業。麻生セメント社長などを経て、1979 年衆議院議員に初当選。

新型コロナの影響で小中高校と特別支援学校の臨時休校の要請が行なわれましたが、麻生は、保育費用など補償のスキームについて質問されると、「つまんないこと聞くねえ」と返答します。記者が国民の関心が高いと反論すると、「言われて聞くのかね？　上から言われてるわけ？

かわいそうだねえ」（同年二月二八日）と発言します。

「（日本の死者数が少ないのは）国民の民度のレベルが違うから」（同年六月）とも発言。

死者数が少ないのは、欧米に較べての話です。日本は東アジアでは人口あたりの感染者と死者が最も多く、経済ダメージはアジアで最大です。韓国、シンガポール、中国、ベトナム、台湾に較べても圧倒的に多いが、麻生に言わせればこれも「国民の民度」ということになるのでしょうか？

定額給付金支給に反対

麻生は「お金に困っている方の数は少ない。ゼロではないですよ。困っておられる方もいらっしゃる。だが、現実問題として（一〇万円の特別定額給付金で）預金、貯金は増えた」（同年一〇月）とも発言します。

だからどうしたという話。各種世論調査によれば、新型コロナの影響で「お金に困っている人」が増えたのは事実です。

二〇二〇年四月一一日に配信されたネット番組で、自民党の安藤裕《あんどうひろし》衆院議員が勇気ある内部告発をしました。

「『損失補償、粗利補償を絶対にやらないと、みんな企業潰れますよ』という話をある幹部にしたときに、『これ（新型コロナウイルス）でもたない会社は潰すから』と言うわけですよ。それはないだろうと」

役所や体力のある大企業と違い、新型コロナの直撃を受けているのは中小企業です。個人営業の居酒屋も定食屋も喫茶店もどんどん店を閉めています。

生きるか死ぬかの瀬戸際にいる困っている人たちに手を差し伸べるどころか、背中を押して地獄に突き落とそうとする。これを国賊と呼ばずになんと呼ぶのでしょうか？

この「ある幹部」は麻生であるという話も聞きましたが、ここでは断言はしません。しかし、そいつが人間のクズであるということは断言できます。

森友学園をめぐる公文書改竄事件に関連し、自殺した財務省近畿財務局の赤木俊夫《あかぎとしお》さんが、死の直前、決裁文書の改竄の経緯を詳細に記した「手記」を遺し、相澤冬樹《あいざわふゆき》記者が遺族から受け取っています。そこには「すべて、佐川《さがわ》理財局長の指示です」と述べられていました。

この手記が公開されたことにより、麻生が「佐川の答弁に合わせて書き換えられた」と認め、財務省の元秘書課長が「安倍首相の答弁と改竄は関係あった」と説明していたことが発覚します。

にもかかわらず、安倍と麻生は再捜査を拒否。

「あなた方は調査される側で『再調査しない』と言える立場にありません」との赤木さんの妻の言葉に尽きると思います。

要するに人の痛みが分からない。

だから新型コロナ対策も滅茶苦茶になるのです。

麻生は最後まで一律一〇万円の定額給付金支給に反対していました。

二〇二一年一月には、新たな特別定額給付金を期待する声に対し「後世の借金をさらに増やすのか」と述べて全力で抵抗しています。

アメリカ凋落の象徴――ドナルド・トランプ

新型コロナ拡大の責任

二〇二一年二月一一日発行の医学誌ランセット（世界で最も歴史があり知名度も高い医学誌）に発表された報告書は、二〇二〇年に新型コロナウイルスで死亡したアメリカ人のうち約四〇%は、トランプが大統領でなければ死を免れていただろうと指摘しています（「ニューズウィーク日本版」二〇二一年二月一二日）。

トランプはアメリカ国民にパンデミックとの闘いを呼び掛けることはせず、むしろその脅威を（個人的には認識していたにもかかわらず）公然と否定し、適切な行動を妨害し、国際社会と協力しなかったと。

この報告書は、過去四年間の米政府の姿勢についてはトランプに責任があるものの、アメリカにおける多くの問題は何十年も前からあると指摘します。その背景には、共和党と民主党、いずれの大統領も追求してきた新自由主義に基づく政策があると述べています。

ほかの先進国の国民はアメリカ人より健康で長生きしているのに、アメリカではここ数年、平均寿命が短くなる傾向が続いています。報告書はその原因として、気候変動や医療分野の規制緩和、医療費の高騰、無保険者が多いことや、経済格差、人種差別などさまざまなマイナス要因を挙げています。

オバマケアの導入で、トランプの大統領就任時にアメリカの無保険者は二八〇〇万人に減っていましたが、トランプ政権下で二三〇万人増加。

記事によると、パンデミックの中で人種間格差が広がり、黒人の死亡率は白人の一・五倍に上昇したほか、ラテンアメリカ系の平均寿命は三・五年短くなりました。

また、トランプは、中・低所得層の白人の生活の見通しが悪化することに対する怒りを利用して、人種間の憎悪や外国人嫌悪を煽り、高所得層や企業に恩恵をもたらす政策、人々の健康を脅かす政策への支持を取り付けました。トランプは企業と高所得層を対象とした一兆ドルの減税を行ない、この減税によって予算に開いた穴を埋めるために、低所得者向けの食料補助や医療予算の削減を正当化します。

ワシントン・ポストのファクトチェック

新型コロナは多くの社会問題を顕在化させました。保険の問題一つとっても、アメリカの医療体制の欠陥が浮き彫りになります。トランプは「新型コロナはただの風邪」と社会にデマを垂れ流し、医療関係者の警告を無視し、マスク着用を拒み続けていました。米紙ワシントン・ポストがトランプの発言について「ファクトチェック」を行なったところ、二〇二一年一月二六日の時点で過去四年間で三万五七三回の虚偽や誤解を与

1946年生まれ。第45代米国大統領。ペンシルベニア大学卒業後、不動産業で名を馳せた。2020年大統領選で敗北。

える主張をしたとのことです。特に新型コロナについては「ウイルスは奇跡的に消える」「(九九%の症例は)完全に無害」などと一貫してデマを流し続け、二五〇〇以上の虚偽の主張を行ないました。

公衆衛生の専門家である米食品医薬品局(FDA)のトップで、ホワイトハウスの新型コロナ対策チームのメンバーでもあるスティーブン・ハーン長官は、「これ(トランプの発言)が深刻な問題であることは、データが示している。国民は深刻に受け止める必要がある」と語っていたが、トランプの暴走は止まりませんでした。

大統領選のライバルであるジョー・バイデンや民主党が有権者にマスク着用の重要性を訴えたのに対し、トランプ政権は「マスク着用問題」をあえて政治的争点にして、マスク着用を無視します。しかし、結局、トランプはマスクをつけざるを得なくなる。

雑誌「ニューヨーク」のウェブマガジンは、《あまりにも遅すぎた一里塚となる行動》《この間、新型コロナウイルスはわが国経済を打ちのめし、三三〇万人以上の市民を感染させ、全米で一三万四〇〇〇人の命を奪った》とトランプを批判しました。

「ウェッジ・インフィニティ」（二〇二〇年七月一五日）はこう指摘します。

《トランプがマスク着用を拒否してきたため、彼の仲間、一族郎党もこれに従う結果となり、公衆衛生上のごく一般的なこの予防措置拒否を政治的対立点にまでさせてしまった。結局、大統領が多くのアメリカ国民のマスク着用を遅延させたことで、各州で恐るべきコロナウイルス感染第二波へと増幅させる事態を招来させたことになる》

《CDC（アメリカ疾病予防管理センター）が四月初旬、マスク着用を全国民に勧告した際も、大統領はその直後に「自分は個人的に着用しない」と語り、その後も、着用があたかも大統領らしくないとか、男性の行動としてふさわしくないと思わせるようなメッセージを発信し続け、マスクなしで多くのイベント会場にかけつけた。関係閣僚やスタッフたちも例外なしにこれに付き従った》

《その挙句に、去る五月二六日には、テレビ会議の場にマスク姿で現れたバイデン候補に対し、侮蔑的言葉で批判したほか、来月、フロリダ州ジャクソンビルで開催予定の共和党全国大会についても、参加者へのマスク着用義務付けを任意とするよう指示、各方面から猛烈な非難を浴びたため、のちに姿勢を転換せざるを得なくなったの

だ》

わが国でもマスク着用を拒否して騒動を起こすバカが現れましたが、これも同じような幼児的、かつ捻《ね》じ曲げられた男性観によるものなのでしょう。

「消毒液を注射すればいい」

二〇二〇年一〇月二日、トランプは新型コロナウイルスに感染し、ワシントン近郊のウォルター・リード陸軍病院に入院します。

同じく新型コロナの脅威を軽視してきたブラジル大統領のジャイール・ボルソナーロも、新型コロナに感染します。ボルソナーロは、薬服用の様子をフェイスブックに投稿していましたが、「ただの風邪」と言うならパブロンを飲んで寝ていればいい。

トランプはさらに奇矯《ききょう》な行動に出ます。

入院中に車で外出し、後部座席から入院先の周辺に集まった支持者に手を振るパフォーマンスを断行。同病院の医師は「これは狂気だ」と批判しましたが、ホワイトハウスで集団感染が広がったことに対する反省もなに一つありません。

結局、トランプがやったことはデマの拡散です。

新型コロナウイルスの治療法をめぐっては、「紫外線か非常に強い光を体内にあててみてはどうか。また、消毒液はあっという間にウイルスに効くようだ。注射したりできないものだろうか」などと発言。

医師や専門家は大慌てでトランプを批判し、消毒液を製造するメーカーは消毒液を注射したり、摂取したりしないよう呼びかけ、大騒ぎになりました。

トランプは、二〇一六年大統領選のロシア疑惑に関連し禁錮三年四カ月の実刑が確定していた盟友のロジャー・ストーンの刑を免除。側近だったマイケル・フリン元大統領補佐官（国家安全保障担当）がロシア疑惑捜査で連邦捜査局（ＦＢＩ）に偽証していた件についても恩赦を与えています。

日本とアメリカで同じような現象が発生しているのは、偶然ではありません。

近代国家の崩壊は同じような道筋を辿ります。

〝性事〟バカ――小泉進次郎

国民からは「バカ扱い」

環境相の小泉進次郎《こいずみしんじろう》は、新型コロナ発生当初から鼻息が荒く、いろいろ張り切っていました。

しかし、なにをやったのか全く分かりません。調べても出てこないので、多分、なにもやっていないのでしょう。目立ったところでは、新宿御苑に消毒液配布の徹底を指示したことくらいでしょうか。新宿御苑は閉園になりましたが、進次郎は《桜のキレイなこの時期の新宿御苑を少しでも皆さんに楽しんで頂こうと、新宿御苑のサイトでは動画で園内の様子を紹介しています》などとフェイスブックに投稿。「ずいぶん、呑気ですね」と反発を買っていました。

また、感染リスクが高い状況下で働くごみ収集作業員のため、激励と感謝の気持ちを伝えるメッセージや絵をごみ袋に描くことを提案。これ、国会議員の仕事でしょうか？

幼稚園児が児童会で提案したとか、小学生の新聞への投書でしたら、「ほほえましい」話ですが、この人はいい大人です。私は「議員の歳費が高すぎる」というような話はあまりしたくありませんが、いくらなんでもというのはあります。

1981年生まれ。環境大臣。関東学院大学卒業後、コロンビア大学で修士号取得。2009年衆議院議員初当選。

ちなみに進次郎は、二〇二〇年四月二八日の記者会見で、新型コロナウイルス感染拡大が続く中、同年一月に誕生した長男の子育てにどう向き合っているか問われ「国会のある日は、家に帰ると私は『ばい菌』扱いですね」と発言。国民からは「バカ扱い」ですが。

国政よりも性欲

二〇二〇年二月一六日、進次郎は政府の「新型コロナウイルス感染症対策本部」の会合を欠席します。ではどこにいたのか？

地元で後援会の新年会に出席していたことが分かっています。

立憲民主党の安住淳《あずみじゅん》国会対策委員長は「普段は歯切れよく、都合のいい話はしゃべっているのに、一番重要な対策会議を抜け出して、笑顔で写真を撮ったり、お酒を飲んだりしている」「閣僚の責任放棄で進退につながりかねない」と批判します。

正直、国会に進次郎がいてもいなくても議論の進行にはなんの関係もないとは思いますが、結局、この程度の感覚なのでしょう。

以前、進次郎が日本変革への決意を語っていました。では、なにを変えるかというと、衆議院でマイボトルが持ち込み禁止になっていることだと言う。

進次郎は力説します。

「大臣の立場ですから発言しにくいところもありますが、私が党に関わらなくても自民党内ではいま、国会改革に取り組んでいる鈴木隼人《すずきはやと》議員をはじめ様々な方がいますから。国会は国会のことを決める前提でいうと、衆議院ではマイボトルはいまだにダメだという、全く理解不可能な状況が続いていますが、参議院はその風穴を議運からあけて下さって、マイボトルを持っていく動きが出たわけですよね」（「FNNプライムオンライン」二〇二〇年八月六日）

「一方で本来だったら持ち込んではいけないタブレットや雑誌を、国会の委員会中に読んだり見たりする議員の姿が散見されると。これだけでマイボトルがいいかどうかという議論が、全く不毛だということがよく分かりますよね」（同前）

これ自体が全く不毛な議論である。

進次郎は「今のままではいけないと思います。だからこそ日本は今のままではいけないと思っている」という名言も残しています。

世間から批判されていることについては、「相当叩かれましたが戦い続けていましたよ。まあ見ていてください」と答えていますが、「叩かれた」理由は、人妻と不倫しホテル代を政治資金で支払っていたことだったり、同時期に復興庁の元部下の女性とホテルで密会していたことだったり、メーキャップアーティストの女性を赤坂の議員宿舎に呼びつけていたことなのにね。

口から先に生まれてきたような政治家は多いが、チン次郎はチンポから先に生まれてきたような政治家です。「穴があったら入りたい」と思うのが普通の政治家ですが、「穴があったら入れたい」と思うのがチン次郎です。

新型コロナ関連で目立った発言としては、インターネットを使った「ウェブ飲み」を推奨。父親の純一郎は「バカの振りをした悪党」でしたが、チン次郎はシンプルなバカ。

進次郎は再び鼻息を荒くして、「コロナ収束後の社会を見据えた政策の打ち出しを考えている」と語ったそうですが、どうせロクなものではないでしょう。

お茶の間に寒い笑いを届け続ける進次郎。自分のことを「政治バカ」と言っていましたが、「政治」はつけなくてもいいと思います。

人間そのものが不謹慎――黒岩祐治

新型コロナの人体実験

神奈川県では二〇二一年元日に四七〇人の新型コロナウイルス感染を確認します。フジテレビの元キャスターで神奈川県知事の黒岩祐治《くろいわゆうじ》は「目の前に医療崩壊が迫っている」とし、「徹底的な外出自粛」を呼び掛けました。また感染した患者が入院する病院を調整する作業が難航し始めていることを明らかにし、「ステージ四（爆発的感染拡大）は間近」と警鐘《けいしょう》を鳴らしました。

ではこの男はこれまでなにをやってきたのでしょうか？

グロテスクな人体実験です。

二〇二〇年一〇月三〇日から三日間、黒岩は新型コロナ感染防止と大規模イベントを両立できるか検証するため、横浜スタジアムで行なわれたプロ野球の試合で、収容人数の制限をなくし、満員に近い観客を入れるという人体実験を行ないました。

プロ野球やJリーグなどの観客の数は収容人数が一万人を超える会場では、その50パーセントまでが上限となっていましたが、「密集」「密接」状態をわざわざつくり出し「大丈夫」かどうか確かめるというわけです。

完全に頭がイカれています。

これで新型コロナが拡散したらどのように責任を取るつもりだったのでしょうか？

観戦者が感染者になるってしゃれにもなりません。

何人新型コロナに感染し、何人死ねば、この人体実験は「成功」なのでしょうか？

黒岩は「横浜スタジアムは来年（二〇二一年）のオリンピックの会場でもあります。大規模イベントを行なうためのガイドラインづくりに役立つよう対策の効果を検証したい」「（二〇二〇年）六月ごろから、横浜スタジアムを満杯にする計画をつくろうと考えていました。来年の東京五輪に向けて、大きな一歩になる」とも言っていましたが狂気の沙汰です。

この「人体実験」をやった日には観客は集まらず上限の五〇パーセントにとどまったそうですが、日本は本当に恐ろしい国になってしまいました。

似たような例としては、政府の二メートルの社会的距離制約のために、ライブハウスや演劇、ダンスなどのショウビジネスが瀕死の状態に追い込まれているとして、「満席状態でのライブ」ができる方針を模索すべく、ライブイベントを「実験開催」するなどと言い出す集団まで現れます。

1954年生まれ。神奈川県知事。早稲田大学卒業後、フジテレビに入社しキャスターなどを歴任。2011年より現職。

マッド・サイエンティストそのものですが、一番恐ろしいのは、こうしたことが、さほど大きな問題にならなかったことです。われわれの社会はどこか麻痺しているのではないでしょうか？

一番注意しなければならない類の人間

黒岩はもともと卑劣でデタラメな人間です。二〇一一年四月の知事選では「四年間で二〇〇万戸分の太陽光パネル設置」を公約に掲げ、初当選します。しかし投票日の翌日には「具体的な議会の日程などを考えると、時間がない」と後退し、そのまま誤魔化し続け、同年一〇月、記者団が公約の不履行について追及すると、黒岩は「あのメッセージは役割を終えた。忘れてほしい」と返答しました。

公約の不履行をごまかす政治家はいますが、「忘れてほしい」というのは前代未聞です。要するに、同年三月一一日に発生した東日本大震災および福島第一原子力発電所事故による社会混乱を利用して政界に潜り込んだわけです。

「日本から神奈川県を独立させる」と言い出したのも黒岩です。

「特区制度を全県に活用し、（中略）県を『自治政府』とも言うべきものにしたい」

「いわば日本の中の『外国』をつくる」

バカに権力を渡すとこういうことになります。

当時黒岩はこう語っていました。

「みんなが不安で怯《おび》えているとき、行く方向に迷っているときに『こっちへ行こう！』と自信を持って旗を振って先導できるリーダーの存在が今求められていると思います」

橋下徹や小池百合子も同じようなことを言っていましたが、社会不安が拡大する中、一番注意しなければならないのは、この類の人間です。

二〇二〇年三月、神奈川県は新型コロナウイルス感染者の治療に携《たずさ》わる医療従事者らを「コロナファイター」と命名し、応援するキャンペーンを開始します。賛同する協力企業などに配布する「がんばれ‼　コロナファイターズ」と書かれたステッカー四五〇枚を作製したほか、黒岩や県職員が応援メッセージを発出する動画も作成。「必死に感染症と向き合っている医療従事者に対し、名称が軽はずみ過ぎる」「不謹慎」と批判の声が広がります。私もこの動画を見ましたが、「不謹慎」という言葉が一番しっくりきます。黒岩という人間そのものが「不謹慎」なのです。結局、このバカなキャンペーンは中止に追い込まれました。

愚か者の所業――三原じゅん子

安倍周辺の「喜び組」

二〇二〇年九月一四日に総裁選が終わると「菅義偉を応援する会」メンバーとして動いていた三原《みはら》じゅん子は、そわそわしだし、「そろそろなにかやりたいな」と発言。以前私の知り合いが「そろそろなにかやりましょうよおー」と言う奴は絶対に信用しないと言っていました。結局三原は厚生労働副大臣におさまります。

「私も支えてきましたので、横浜から総理が出たというのは、私にとっては地元（神奈川選挙区）ですから、格別な思いでいっぱいです」「閣僚人事は〝菅カラー〟を強く打ち出してもらいたい。（菅から）与えられたことはなんでも全身全霊を傾けてしっかりやりたい」と全力で媚びを売ります。安倍が新型コロナ対策について会見を開いたときには、その直後に《この緊急事態での会見にも関わらず民放ではスルー？》《連日ワイドショーで専門家という肩書きの方の言葉を伝えるより、総理のお言葉をつたえるべきでは？》とツイッターで民放各局に苦言を呈しました。

わが国の北朝鮮化が止まりません。安倍の「喜び組」として出世したかったのでしょうが、とりあえず「お言葉」は同じ組織の人間が使う言葉ではありません。

二〇一九年六月二四日、安倍に対する問責決議案が否決された際には、「恥を知りなさい」「こんな常識外れの問責決議案の試みは、完膚なきまでに打ち砕かないといけない」「尻ぬぐいをしてきた安倍首相に感謝こそすれ、問責決議案を提出するなど全くの常識外れ。愚か者の所業とのそしりはまぬがれません」と怒声をあげました。

1964年生まれ。厚生労働副大臣。女優や歌手として芸能活動を行なった後、2010年に参議院議員初当選。

SNSなどでは三原のことを「元ヤンキー」と呼んでいる人がたくさんいました。私は「ヤンキーは昔役者をやっていたときの芸風だろ」と思っていましたが、実際に暴力事件で警視庁目白署に現行犯逮捕されていたようです。

一九八七年四月二日、当時恋人だった立川利明《たちかわとしあき》とデート中、尾行していた写真雑誌「フライデー」のカメラマン二人に暴行。そのとき「顔はやばいよ！　ボディーをやんな！」と言ったとか言わなかったとか。

二〇二〇年一一月一七日、安倍は三原のパーティーであいさつし、三原の言葉を引用しながら、野党を批判します。

「対案を示さず、ただただ国民の不安を煽る野党はもううんざりです。愚か者の所業。野党のみなさん恥を知りなさい。これは胸をすくような演説でした」

お前らが恥を知れという話です。三原は八紘一宇《はっこういちう》は「日本が建国以来、大切にしてきた価値観である」などとも言っていましたが、こうした連中が仲間内で褒め合うことで、自民党はカルト化していきました。新型コロナのワクチン開発も大事ですが、バカに効くワクチンもつくってほしいところです。

第三章

新型コロナ流行下でデマを流した言論人

究極の無責任社会

認知的不協和

新型コロナウイルスのパンデミックがあぶり出したのは、無責任な極論、エセ科学、陰謀論を声高に叫び出す連中の正体でした。

彼らの発言は二転三転してきましたが、社会に与えた害は大きい。

追及すべきは、わが国の知的土壌の脆弱性です。

私は、新型コロナに関するデマを流す言論人は取り締まったほうがいいと思っています。人の命がかかっているからです。社会に明確に害を与えているわけですから。

こう言うとすぐに「言論統制を支持するのかあ」とか言い出すバカがいます。言論の自由は守らなければならないが、社会にデマを垂れ流す自由はありません。

こうした連中こそ、特定のイデオロギー（自由の神格化）に縛られており、結果、社会不安に乗じて拡大するカルトを放置することにつながるのです。

オウム真理教事件のときもそうです。

変にもの分かりのいい人たちが、「オウムにも上九一色村《かみくいしきむら》に移住する権利がある」などと言い出し、周辺の学者たちは「世俗の倫理と宗教の倫理は違う」などとガキでも分かるようなことをおもむろに言い出しました。

アメリカの心理学者レオン・フェスティンガーが提唱した「認知的不協和《にんちてきふきょうわ》」という言葉があります。人は自分の認知と矛盾する認知を抱えると、不快になります。人はこれを解消するために、矛盾する認知の定義を変更したり、過小評価したり、自身の態度や行動を変更します。典型的な例がイソップ物語の「すっぱい葡萄《ぶどう》」です。

お腹を空《す》かせたキツネは、おいしそうな葡萄を見つけます。食べようとして懸命に跳び上がったのですが、届きません。何度跳んでもだめだったので、キツネは、怒りと悔しさから「どうせこんな葡萄は酸っぱくてまずいだろう。誰が食べてやるものか」と負け惜しみの言葉を吐き捨てて去っていきました。

この構造を世界史の中に見出したのが、哲学者のフリードリヒ・ヴィルヘルム・ニーチェでした。要するに自己欺瞞《ぎまん》です。

結局、彼らは外部からの情報を遮断し、自分たちにとって都合のいい妄想を純粋培養させていくのです。

新型コロナ下のネトウヨの動向

米紙ニューヨーク・タイムズが、安倍の新型コロナ対策をボロクソに批判していましたが、ツイッターでその記事を紹介すると、周辺の信者が発狂して飛びついてきました。曰く「ニューヨーク・タイムズは一地方紙に過ぎない」「朝日新聞と提携している左翼新聞だ」……。記事の内容ではなく、媒体で判断するわけです。

こういう思考回路の人はネトウヨに多い。そしてすぐに「ソースは毎日新聞w」などと言い出す。

彼らの脳内では安倍の失政を批判すると左翼ということになるらしい。その直後、「週刊新潮」が「安倍総理　独善のドタバタ悲喜劇」、「週刊文春」が「安倍晋三大暴走」という特集を組んでいましたが、連中は「週刊新潮と週刊文春は左翼」とか言い出すんですかね？

「適菜収は左翼」というツイートもありました。理由は「安倍さんを批判しているから」とのことです。ツイッター社は、バカ禁止のツイッターをつくればいい。そこそこ人気が出ると思います。

本章では、新型コロナによる社会不安に乗じてデマを流してきた言論人について述べていきます。

ナチスと酷似——橋下徹

大衆のルサンチマンを回収

新型コロナによる経済的影響への対策として、二〇二〇年四月二七日、日本に住民基本台帳がある世帯主に定額の現金を給付する制度が始まります。この一人一律一〇万円の特別定額給付金について、元大阪市長の橋下徹は公務員や生活保護受給権者は受け取るなと言い出しました。

《この一〇万円は生活保障。給料、ボーナスがびた一文減らないことが確実な人には給付する必要はありません。生活保護受給権者も》

《スピード実務のために全世帯に申請用紙を配布するにしても、受給禁止とルール設定するのが政治の役割。高額所得者には税で事後的に回収すればいい》

維新の会お得意の「公務員を叩いて社会に蔓延《まんえん》するルサンチマンを回収する手法」です。

こういう連中に拍手喝采を送っていると最後には国民に牙を剝きます。歴史を振り返ればそれは明らかです。

ニーチェは《ひとは、治療手段をえらんだと信じつつ、憔悴《しょうすい》をはやめるものをえらぶ》とも言いましたが、この四半世紀、この繰り返しです。

1969 年生まれ。タレント・弁護士。早稲田大学卒業。2008 年に大阪府知事、2011 年に大阪市長に就任。2015 年退任。

小沢一郎《おざわいちろう》は政治制度改革で議会主義を破壊し、橋本龍太郎《はしもとりゅうたろう》は行政改革を「火だるまになってもやりきる」と発言し、実際に日本を火だるまにしました。小泉純一郎《こいずみじゅんいちろう》は「自民党をぶっ壊す」と言い、実際にぶっ壊し、そのまま放置。自民党から保守政治家はパージされ、カルトと新自由主義者、政商の集団になっていきます。

そのあとに出てきた維新の会も同じようなものです。

既得権益を叩き、「改革者」を気取ることで、大衆のルサンチマンを回収する。こうしてわが国は急速に三流国に転落していきました。

大阪の医療体制を壊したのも維新の会です。

橋下は知事、市長時代に医療福祉を切り捨てました。公立病院や保健所を削減したほか、医師・看護師などの病院職員、そして保健所など衛生行政にかかわる職員を大幅に削減しています。

こうして発生した医師や看護師、保健所の人手不足、脆弱な検査・医療体制が、新型コロナの感染拡大を招いたのは明確です。弱者への攻撃を改革と称し、「黒字になった」と胸を張っているのですから、政治の役割についても、経済についてもなにも理解していないのでしょう。

維新の会の本質

橋下は新型コロナをめぐる大阪の混乱を引き起こした張本人であるのにもかかわらず、メディアに登場して無責任な発言を繰り返します。

吉村洋文が大学や病院など「オール大阪」でワクチン開発に着手すると表明すると、橋下はテレビ番組で「(ワクチンが開発された場合) 僕が知事だったら大阪で抱え込む。大阪に企業の本社を持ってこない限りはワクチンは渡しません、とか」と発言(関西テレビ「胸いっぱいサミット!」、二〇二〇年五月九日)。

すべてはカネ。大阪以外の人間は新型コロナで死ねということでしょうか?

冗談だとしても全く面白くありません。シンプルな人間のクズです。

橋下は著書『まっとう勝負!』で次のように述べています。

《国が事前に危険な奴を隔離できないなら、親が責任を持って危険なわが子を社会から隔離すればいいいんだ。他人様の子供の命を奪うほどの危険性がある奴に対しては、そいつの親が責任を持って、事前に世の中から抹殺せよ》

《苦渋の決断でわが子を殺した親に対しては、世の中は拍手を送ってもいいだろ。国に代わって、世の中に代わって、異常・危険分子を排除したんだからね》

つまり、危険性があると親が判断すれば、実際にはなにもやっていなくても、子供を殺すべきだと言っているのです。

SNSでは「これが弁護士の発言なのか」「異常極まりない」といった反応もありましたが、これは法がどうこう以前の話。

こんな人間が権力を握れば「異常・危険分子」とレッテルを貼られた人たちは強制収容所かガス室に送られることになります。

私はナチスやアドルフ・ヒトラーと絡めて、政治家を批判するのは好きではありません。そこで思考が停止してしまうからです。

その上で言いますが、維新の会はナチスと酷似しています。確信犯的に嘘、デマ、プロパガンダを垂れ流し、反論は無視するかスラップ訴訟をちらつかせながら恫喝《どうかつ》する。ナチスの宣伝相ヨーゼフ・ゲッベルスは「嘘も一〇〇回言えば真実になる」と言いましたが、連中は最初から言葉の価値など信じていないのです。橋下は著書で《ウソをつかない奴は人間じゃねえよ》《私は、交渉の過程で〝うそ〟も含めた言い訳が必要になる場合もあると考えています。正直に自分の過ちを認めたところで、何のプラスにもならない》と述べている人物です。

そして、これは維新の会の本質でもあります。

順法意識や社会性の欠如、間違っていることを間違っていると感じない……短く言えば人間性の欠如です。

弱者切り捨ての一周遅れの新自由主義路線では国難に打ち勝つことはできません。「身を切る改革」と言うなら、まずは身をもって示してほしい。文明社会の敵である維新の会は即時解党すべきです。

妄想世界の住人——高須克弥

ナチス礼賛で有名

新型コロナのような危機があると、バカが可視化されます。案の定、「国の危機なのだから政権批判をしている場合ではない」などと言い出す人間も出てきました。ネトウヨの美容外科医は、《タイタニック号では船長に従いました。人間としての暗黙のルールです。（馬）鹿は明文化しないとルールが守れません。悲しいことです》とツイート。そのタイタニック号は沈没し、海の藻屑《もくず》となったのにね。

「バカな大将、敵より怖い」という言葉もあります。非常時だからこそ、まっとうなリーダーにかじ取りをやらせなければなりません。

そもそも高須は脱税事件やナチス礼賛で有名ないかがわしい人物です。ツイッターやブログには、《ドイツのキール大学で僕にナチスの偉大さを教えて下さった黒木名誉教授にお会いした》《僕は確信した誰が何と言おうがヒトラーは私心のない本物の愛国者だ》《南京もアウシュビッツも捏造だと思う》《日本にはマッカーサーがくれた世界に誇る日本国憲法がある。出版の自由が保証されている。堂々とナチス本も出版できる。めでたいことだ。♪盟友ナチス♪》といった言葉が並んでいる。

二〇一九年に愛知県内で開催された国際芸術祭「あいちトリエンナーレ」の企画展をめぐる対応に問題があったとして、安倍周辺のデタラメな言論人たちと政治団体を結成し、芸術祭実行委員会会長を務めた愛知県知事・大村秀章《おおむらひであき》のリコール（解職請求）運動を始めました。

周知の通り、この運動は高須が主導し、名古屋市長の河村《かわむら》たかしが賛同、日本維新の会の田中孝博《たなかたかひろ》がリコール団体の事務局長をやっていました。

これを俯瞰《ふかん》して言えば、人々の薄汚い感情を養分として肥え太ったあの界隈（ビジネス右翼・カルト）が、国家および国民に攻撃を仕掛けたということだと思います。

公的な制度をハッキングした一種のテロ行為と指摘する論者も複数出てきました

が、その通りです。

県選管によると、署名の八割超に当たる約三六万人分が無効で、同じ筆跡やすでに死亡した住民約八〇〇〇人分の署名、同一人物が押したとみられる指印もありました。佐賀市内では署名の書き写しにアルバイトが動員され、一〇〇〇万円超の給与が支払われています。

県選管は二〇二一年二月一五日、被疑者不詳のまま地方自治法違反容疑で刑事告発。県警は同月二四日から三日間、県内の市区町村選管六四カ所を捜索し、署名簿を押収しました。

高須は不正関与を否定しましたが、言動が極めて不自然。偽造署名に気づきメディアに告発した複数のボランティアをなぜか刑事告訴し、さらには署名簿が返還された場合は溶解処分すると言い出します。

二〇二〇年一〇月三一日、《全てが僕の予言通りにすすんでいる。当たりすぎて怖い。トランプ勝利。大阪都構想勝利。愛知県知事リコール勝利》とツイートします。妄想の世界に住んでいると最後はこうなってしまいます。

「バイデンの不正選挙がー」「ドミニオンがー」と陰謀論を垂れ流しておきながら、自分たちがやっているのが不正そのもの。メディアもこうしたゲテモノを面白がって使うのはいい加減止めるべきです。

維新の会との関係

高須は、女性蔑視《べっし》発言をした森喜朗《もりよしろう》の処遇の検討などを求める署名が一三万人を超えたというNHKニュースを引用し、《愛知県では「四三万筆の大村知事リコール署名に不正の疑い」を報道しているのに、この森会長に抗議する一三万人の署名が正確かのように報道する姿勢に皆さんが疑問を感じないのは不思議です。何故かな？》とツイート。「何故」なのか、自分でよく考えたほうがいい。

さらに《もともとオリンピックは女人禁制だったのに……。森会長はお気の毒だと思います。もういじめるのは止めてください。なう》と頓珍漢《とんちんかん》なツイート。

こうしたデタラメな論理で政権を擁護するわけです。

新型コロナ対策として国民一人当たり一〇万円の現金を一律給付することが決まる

と《とりあえず少しの間、心臓が動く。安倍さん強心剤注射してくれてありがとう》とツイート。

一律一〇万円給付と言っていたのは野党側です。

二〇二〇年三月一八日、国民民主党代表玉木《たまき》雄一郎《ゆういちろう》が「全国民への現金一〇万円一律給付」を盛り込んだ経済政策を発表します。

そしてこれに最後まで反対していたのが安倍と麻生です。

最終的には世論と公明党に押し切られただけです。

先述した通り、日本維新の会の田中孝博がリコール団体の事務局長をやっていましたが、高須はツイッターで政治団体設立の報告会に吉村洋文を誘います。

吉村は《高須先生、さすがに明日の一四時は松井市長と大阪で会議の公務がありますので、出席は難しいです、なう。リコールは簡単にはいかないと思いますが、応援してます、なう。行政が税金であの『表現の不自由展』はさすがにおかしいですよね》とツイート。

これに対して「なんでわざわざツイッターで連絡取ってんの?・」というリプがあり

ましたが、要するに吉村は同団体の宣伝をしていたわけです。

記者会見では「公金を使って開催したことに強い違和感を感じる。賛成です」と述べていましたが、自治体の長が他自治体のリコールに口を出すこと自体が異常。松井一郎からさえ、「愛知の人が判断するべきです。知事が旗を振るのは違う」とたしなめられていました。

吉村は社交辞令を言ったわけではありません。ネット上の動画では高須の顔がプリントされた枕を抱きしめて恍惚の表情。要するに天然のネトウヨなのです。

後出しジャンケン——三浦瑠麗

新型コロナを軽視

国際政治学者を自称し、テレビ番組で政権ヨイショや怪しげな陰謀論を垂れ流す三《み》浦瑠麗《うらるり》という人がいます。「田崎史郎《たざきしろう》の女版」とも呼ばれているようですが、私は「小川榮太郎《おがわえいたろう》の女版」であると思います。ネッシーの写真をスクープしたタブロイド紙「デイリーメール」を情報源としたスリーパーセル（潜伏工作員）発言などで話題になった陰謀論者ですが、論点をごまかして政権を擁護するのが主な仕事です。

二〇二〇年五月一四日には新型コロナについてこうツイートしています。

《一刻も早く『通常運転』に復帰すべきであるにも関わらず、ダラダラと緊急事態宣言解除の判断を先延ばしにし、自粛の雰囲気を持続させて経済・社会を窒息させてい

る》《本当は、コロナ自体は当初思ったよりも大きな脅威ではありませんでしたと宣言すべき》

一体なにを言っているのでしょうか？

新型コロナは当初思っていたより大きな脅威だったから、対応が後手後手に回り、医療崩壊を招いたのです。第五章で詳しく述べますが、全世帯に布マスク配布という安倍と周辺一味による世紀の愚策も、三浦は礼賛します。

《布マスクうちはありがたいですよ。自分でマスクを縫う暇はないし、子供にさせたくても市中にはないもんね。洗って使える布のものはもっと高性能なマスクが必要な人の分を妨《さまた》げないし。郵便を利用してプッシュ型支援をやったのは画期的だから、引き続き他の経済対策も頑張って下さいでいいんじゃないの》

布マスク配布をめぐる不透明なカネの動きなどが問題になっているのに、そこには一切触れず、このように論点をずらすわけです。

三浦は、新型コロナを軽視する発言を繰り返しておきながら、事態が深刻になってくると、全く逆のことを言い出しました。二〇二一年一月五日、三浦はテレビ番組で

「第一波、第二波が収まってから、(国は)ほとんど医療体制の拡充を頑張ってきていない」「(療養するための)ホテルを借り上げていたものを元に戻してしまったりしている」「高を括っていたんじゃないか」と発言。

盗人猛々しいとはこのことです。

高を括っていたのはどこのどいつなのか?

見事な後出しジャンケンです。

意味の分からないことを言って世の中を煙に巻くのも仕事の一環です。

《新型コロナが「有事」ならばやるべき医療体制の組み直しをやらず、平時と有事のあいだのグレーゾーンの質を判断してそれに対応する能力もなく、偽りの解としての竹槍精神的な自粛要請に飛びつく政治を目の前に、日本人が後世振り返るべき参照地点としての現在、緊急事態宣言発出に反対しておきます》

仕事なので三回読んでみたのですが、日本人が書いた文章とは思えません。私の読解能力不足のせいではないと思います。多分。

政治を俯瞰しているポーズ

三浦は竹中平蔵らによる「未来投資会議」に潜り込みます。「未来投資会議」は安倍の諮問機関で、観光需要を喚起する大規模キャンペーンを実施する方針を示し、これが「Ｇｏ Ｔｏキャンペーン」につながります。当然三浦は感染再拡大下での「Ｇｏ Ｔｏキャンペーン」強行を支持します。

さらには、厚労省が新たに設置した「新型コロナウイルス感染拡大で影響を受けた女性に対し、雇用政策や生活支援策の発信強化に向けたプロジェクトチーム」メンバーにも三浦は潜り込みます。まさにスリーパーセル並みの大活躍です。

反社会勢力と安倍のつながりが明確になった「桜を見る会事件」については、こうツイート。

《桜を見る会が中止に。おそらく「国民感情」への配慮。時の権力者が催す宴には「なぜあいつが呼ばれた」になりがち。全ては国民感情次第ということなのでしょう。でも大手メディアからも沢山招待されて皆さん楽しんできたんですよ。今分かったこ

とではない。総数や予算は今後検討課題になるでしょう》

公職選挙法違反や公金横領、政治資金規正法の問題に一切触れずに、「国民感情」「予算」の話にすり替える。確信犯的なデマゴーグです。

研究者として政治を俯瞰しているポーズをとり、世間を騙しているのでアホウヨ雑誌でキャンキャン吠えている連中よりもタチが悪いと思います。

事実に基づかない発言

二〇一五年の「都構想」なる大阪市解体の住民投票の際も、三浦は事実無根のデマを垂れ流していました。住民投票で反対派が勝利した際には、ブログで「ポピュリズムはむしろ足りなかった」（二〇一五年五月一八日）などと書いています。

三浦は維新の会が負けたのは「バラマキ」を行なわなかったからだと言います。「物質的な便益を志向する有権者を取り込む方向性」として、《維新は、都構想による平成四五年までの効果を四〇〇〇億円と見積もりました。試算の成否は一旦置いておくとして、この四〇〇〇億円を原資に減税を行うということは可能だったはずです》と。

説明するのもばかばかしいのですが、住民投票の時点で四〇〇〇億円という数字はデタラメであることが明らかになっていました。橋下の指示による粉飾で出した数字でさえ九七六億円。大阪市会の野党が出した数字は約一億円です。

制度移行の経費と年間コストを引けば、明らかにマイナスになります。「都構想」とは足し算ができれば誰でも分かる詐欺でした。

試算の成否を「一旦置いておく」ことなどできるわけがありません。橋下維新が捏造した「二重行政の解消による効果」というデマこそが、「物質的な便益を志向する有権者を取り込む方向性」なのです。

また三浦は、維新の会は「いわゆる恐怖心を主要な動機付けとする手法を採らなかった」と述べています。

《例えば、二〇〇九年の政権交代の直前、自民党は民主党政権になったならいかにひどいことが起きるかということを繰り返していました。政治はきれいごとではありませんので、スキャンダルやネガティブ・キャンペーンを前面に出して戦うことも、それを適切なタイミングで提起することもしばしば行われることです。タウンミーティングやメディアにおける維新幹部の訴えはとてもクリーンでした》

要するにきちんと取材せずに、妄想だけで原稿を書いているのです。

私は維新の会のタウンミーティングに参加したことがありますが、その内容はまさに「スキャンダルやネガティブ・キャンペーンを前面に出して戦う」ものでした。ジャーナリストの大谷昭宏《おおたにあきひろ》や元大阪市長の平松邦夫《ひらまつくにお》の悪口を繰り返し、維新の会に批判的な人間に対しては「悪魔に魂を売ってしまった」「わら人形をつくって、たぶん五寸釘《ごすんくぎ》で打っていると思う」などと印象操作をして騒いでいました。

三浦のような悪質な人物が、新型コロナについてもデマを流してきたわけです。

TBSキャスターの金平茂紀《かねひらしげのり》は、シリア入りした際に誘拐されたジャーナリストの安田純平《やすだじゅんぺい》に関連するデマを流した三浦に対し、「三浦瑠麗氏が政治学者として食っていけるのが問題」「三浦瑠麗って人、テレビがよく使うらしいのですけども、政治学者のくせに、(発言が)全然事実に基づいていない」と批判しています。

事実に基づかない話を垂れ流す人間のことを、デマゴーグと言います。

第四章

社会不安に乗じるデマゴーグ

常識に立ち戻ること

大きく判断を間違えない方法

危機が発生するといろいろなことが露《あら》わになります。

国の危機管理・安全保障のレベルがバレてしまい、腐ったトップを担《かつ》いできた連中が右往左往したり、「知識人」が頭の悪さを露呈したり。大きく判断を間違えない方法があります。それは知らないことを言わないことです。

現在私はメルマガを月に四本、新聞記事を月に四本、雑誌記事を月に三本書いています。だから月に一一回原稿の締切がある計算になります。

時事的な話題を扱うことも多いので、当然、新型コロナについても言及してきました。そして新型コロナについて書いてきたことは一つも間違えなかったと思っています。それは私が新型コロナについて熟知しているからではありません。

逆です。

なにも知らないからです。だから、「新型コロナがこの先どうなるのか」とか「どういう治療法が最善なのか」とか「どの程度危険なのか」といったことは一切言いませんでした。

つまり、専門家が判断すべき内容についてはなにも言っていないのだから、間違えようがないのです。

私が言ってきたことは、「あなたの説明は以前の説明と違いますがそれについて説明していませんよね」とか「データの扱い方やグラフのつくり方が変ですよね」とか「それ、藁《わら》人形論法ですよね」とか、その程度のことです。

私は知らないことに口をはさむ奴は最低だと思っています。

かつて、あるラジオ番組のコメンテーターをやっていたとき、知らないことを質問されたので「知りません」「分かりません」と言いました。その流れで「コメンテーターは人間の屑《くず》ではないか」という話をしました。知らないことに口を出すのが、大衆社会の病であるとするならば、一番病んでいる職業はコメンテーターではないかと。知りもしないことを、訳知り顔でとうとうと述べるわけですから。

もっとも専門外のニュースに口を出すのがコメンテーターの仕事です。彼らに求められているのは大衆に迎合する素人の意見です。「ああ、そうだね」「オレたちの意見を代弁してくれた」とリスナーが共感するような意見です。こうした凡庸な発言が拡大再生産されていくわけです。

新型コロナをめぐっても、知らないことを平気な顔で述べる人々、素人なのに専門家に難癖をつける人々、都合の悪いデータが出てきても自分のプライドを守るため目を瞑《つむ》る人々、矛盾を糊塗しきれなくなり陰謀論にすがりつく人々が次から次へと出てきました。

これは先の戦争に似ています。

散々大口を叩いてしまった以上、今更引き返すことはできない。今、謝ったら恥をかく。仲間にも示しがつかない。他人を騙すためには、まずは自分を騙すことが大切だ……。

要するに自己欺瞞《ぎまん》です。

都合のいいデータをひたすら探し求め、念仏のように自説を繰り返し、似たようなことを言っている連中とつるみ、ドツボにハマっていく。そして敗戦の日を迎えることになるのです。

「無知の知」と「無恥の恥」

古代ギリシャの哲学者ソクラテスは「無知の知」と言いましたが、ものを知らない奴に限って、自分の能力を過信します。「井の中の蛙《かわず》大海を知らず」という言葉もあります。ドイツの詩人、劇作家、小説家、自然科学者、政治家、法律家であるヨハン・ヴォルフガング・フォン・ゲーテは《無知な人間が何でも知っていると言う。多くを知れば知るほど疑問も多くなる》と言いました。

世の中にはいろいろな意見があります。「正論」などという雑誌もありますが、あらゆる現象は見方を変えれば正しいとも言えるし、間違っているとも言えます。ネトウヨが考えている正義とサヨクが考えている正義は異なります。つまり、なにが正しいか確定することは難しい。

現在、天動説を唱えれば笑われます。しかし、それはコペルニクスの地動説を笑った人々の心性と同じだとゲーテは言います。

《コペルニクスの地動説は、毎日経験する私たちの感覚と矛盾した、理解の困難な理念にもとづいている。私たちは認識も理解もしないことを、ただ口まねするだけである》

人間を中心にして空を見れば、天動説は正しいとも言えます。太陽を中心に考えれば地動説が正しいということになります。しかし、宇宙の膨張《ぼうちょう》を考えれば、太陽(恒星)も地球も動いています。

つまり、世の中にはいろいろな視点があります。

その一方で確定できることがあります。たとえば一＋一＝二です。これは正しい。

なぜ正しいと言えるのでしょうか?

一＋一＝二が正解という算数の枠組・前提があるからです。

法律も同じです。法により定められているから、法を破れば法律違反になります。

麻雀をしていてフリテンで上がったらチョンボです。陸上競技でフライングしたら失格です。

それがルールです。

安倍に近い黒川弘務検事長が新聞記者と賭け麻雀をしていた件、衆院法務委員会で法務省側は当該麻雀のレートは「テンピン」だったと明らかにし、「必ずしも高額と言えない」としました。

当時「黒川は安倍に切り捨てられた」「朝日新聞の記者にハメられた」といった陰謀論が出てきましたが、黒川とメディアの結託《けったく》、お互い益があったと考えるのが普通でしょう。「週刊文春」の記事には、元ハイヤー運転手の証言として《ただ、黒川さんを降ろすと記者の本音が出るようで、「ある程度負けてあげないといけないんだ」とぼやく人もいました。動くのは少ないときでも四万~五万円。今でも鮮明に覚えているのは、ある記者が「今日は十万円もやられちゃいました」と言っていたこと》とあります。

テンピンで一〇万円が動くわけがありません。テンピンならハコテンで馬をつけたとしても三〇〇〇円くらいのマイナス。一〇万円負けるためには、三〇連続でハコテンになる必要があります。

「常識」に立ち戻って考えるとは、こういうことです。

インフルエンザのほうが死者が多い？

新型コロナをめぐっても、陰謀論が次から次へと出てきました。「新型コロナは生物兵器」といった素朴なものから、「ビル・ゲイツが開発している新型コロナのワクチンは、人々の思考を監視するためのマイクロチップを移植するためのもの」といったひねりをきかせたものまで、いろいろ登場します。

私は陰謀と陰謀論は分けて考えるべきだと思っています。

歴史を振り返れば、陰謀が繰り返されてきたことは事実です。

一方、陰謀論と呼ばれているものの多くは、思考のショートカットに過ぎません。最初に「究極の悪」を設定すればあらゆる事象は簡単に説明できます。オチが決まっているわけですから。

不安に支配された人たちは、現実と向き合うのが怖いので、陰謀論に飛びつきます。「新型コロナはただの風邪」「自粛の効果はゼロ」「新型コロナよりインフルエンザのほうが死者が多い」「騒ぎすぎ」……。インフルエンザと新型コロナの死者数の比較に意味がないことにバカは気づきません。

この理屈が通用するなら、インフルエンザの犠牲者より少ない疾病《しっぺい》について議論することと自体が意味がなくなります。

既視感があると思っていたら、自民党が問題を起こしたときのネトウヨのお決まりのフレーズ「民主党だってやっていたー」と同じでした。「今そんな話をしていないから、あっちに行け」という話です。

論理的に考えることができない人は、「正解」を教えてくれる人に接近していきます。頭はそれなりにいいが孤独な人がカルトにはまりやすい。カルトの内部では世の中を整合的に説明してくれるし、自分と似たような考えを持つ人が周辺に集まっています。そこではじめて自分を認めてくれる人たちに出会い、居場所を見つけたような気分になります。居心地がいいから、外部の世界と乖離《かいり》していっても気づかないのです。

一方、途中で気づいたまともな人たちはコミュニティーから離れていきます。こうなると、教祖の周辺はイエスマンばかりになるので、おだてられてますます暴走していきます。

カルトの信者たちは目の前の現実を無視し、なにが起こっても、「教祖は悪くない」「教祖はむしろ被害者だ」の一点張りになります。そして批判されればされるほど、外部の声を聞かず頑《かたく》なになっていく。自分たちは正しいことを言っているのに、それを理解できないバカがいると思い込むわけです。

新型コロナ騒動においても、同じことが繰り返されました。

ドミニオン陰謀論

エセ保守の巣窟

新型コロナ騒動により陰謀論者やデマゴーグが目立つようになりましたが、こうした流れも急に始まったわけではありません。やはり、嘘やデマが平然とまかり通るような世の中であるからこそ、彼らは増長してきたのです。

陰謀論者は右にも左にもいます。選挙が終わると、「八時ちょうどに当確が出るのはおかしい」とか「ムサシ不正選挙がー」とか「ムサシは外資に乗っ取られている」とか「ムサシにはユダヤ系資金が流入している」とか言い出す奴が毎回出てきます。

同じようなことを言っている政党関係者もいましたが、そもそもムサシの投票読み取り分類機の不正で当落が決まると確信しているなら、最初から出馬しなければいいいだけです。供託金《きようたくきん》を没収されるだけなのですから。陰謀論者の思考回路はよく分かりません。メディアは出口調査などを使って当確を打つのだから、票をカウントするムサシとはなんの関係もありません。「不正選挙はない」と言いたいのではありません。妄想と現実を混同するなという話です。

不正選挙があるというなら、それを暴《あば》き出す努力をすべきです。要するに、陰謀論者とは考える順番がおかしい人たちのことです。

知り合いがいいことを言っていました。「ムサシで不正選挙が出来るなら、広島の河井克行《かわいかつゆき》夫婦による買収事件は起きなかったでしょうね」

結局、心と頭の弱い人たちが陰謀論に回収されるのです。

陰謀論のばかばかしさ

「正論」「WiLL」「Hanada」といった情弱の老人向けの月刊誌があります。いわゆる「エセ保守」の巣窟ですが、この界隈の執筆者が社会に垂れ流したのが「ドミニオン疑惑」です。

ドミニオン・ヴォーティング・システムズという投票集計機メーカーが、大統領選で民主党のバイデンを有利にするために投票集計機と選挙そのものを不正操作しようと企《たくら》んだというトランプ陣営のデマを真に受けて、連中は陰謀論を垂れ流します。

同社は陰謀論で名誉を毀損《きそん》されたとしてアメリカで訴訟を起こしましたが、その背景にあるのは、「正しい」目的のためならデマでも流すという倒錯した態度です。もちろん「正しい」というのは個人的な価値判断にすぎません。

バイデンがロクでもないからといって、トランプがやっていることが正しいということにはなりません。猿でも分かる当たり前のことです。

ドミニオン陰謀論のばかばかしさが明らかになったあとにも連中は、バイデンの七八〇〇万票に日米のマスコミはなぜ疑問を持たないのか、二重投票、死者による投票、立会人排除の上の開票、大量に持ち込まれた謎の郵便投票……などとガセネタを根拠にプンプンと憤慨していました。「新型コロナウイルス感染症はメディアがつくり出した怪物」とか「米民主党は小児性愛と人身売買の悪魔的カルト集団」といった陰謀論を信じている人は相手にしてはいけません。

テロを教唆する大学准教授

首都機能を封鎖

新型コロナが猛威を振るう中、「国はなにもしてくれない」と泣き言を言う奴もいます。しかし、少なくとも今の腐りきった政権与党に投票してきた連中は自業自得です。菅義偉は開き直って「自助」などと言いましたが、こうなることは火を見るより明らかでした。

現実を直視できない人は多い。

新型コロナ対策は「感情的」な判断でなく「理性的」な判断が不可欠とか言っている大学教授が感情的になって怒声をあげているのを見ると、なんだかなあと思ってしまいます。

SNSに《ここまで来ると、イルミナティとか地底人とか言い出すまであと一歩》と書いたら、すでにそうなっていました。某大学院教授は、陰謀論者の集団による意味不明な提言に名を連ねていましたし、新型コロナ楽観論で顰蹙《ひんしゅく》を買った某大学の准教授は、《唾液検体にコロナのDNA断片を混ぜて、民間検査機関に大量に送りつければ、首都機能を封鎖できる。安上がりなテロだ》と犯罪行為を教唆していました。

すでに述べた通り、私は本書で専門家が扱う領域に関する議論を行なうつもりはありません。素人から見て間違っていると思えるようなことであっても、それは素人であるがゆえに判断を間違っている可能性がありますし、それが間違っているとしても専門家同士で議論すればいいだけの話です。

ここで某大学の准教授を採り上げる理由は、説明をコロコロと変え、矛盾が発生したら、ネット上の動画でパニックを起こしたり、怪しげな陰謀論を社会に垂れ流しているからです。

守護霊のアイデア

その大学准教授は《なんか陰謀説を疑ってきました。国外の誰かが、日本の一部知識人や政治家を利用してインフォデミックを誘導し、国家転覆を図っているんじゃないか？》《実は目玉焼きモデルは私のアイデアではなく、守護霊のアイデアです》などと妄想を次々とツイート。「ピークは峠を越えた」と言って見事に予測を外してきた奴が、ラインを越えていたというオチ。

つらい現実をごまかすために、自己欺瞞が始まると、希望と現実の区別がつかなくなります。末期がんを宣告された患者が、現実を受け容れることができず、担当医をやぶ医者と決めつけたり、金の延べ棒で体をさすってみたり、いかがわしい民間療法にすがりついてしまうケースがあります。

不安に支配された人、とにかく安心したい人はデマゴーグの甘い言葉に飛びつきます。

「がんなんて怖くない」

「医者は儲けるために手術をしたがる」

「キノコを食べればがんは消える」

このような言論はネット上にいくらでも転がっています。そしてそういう情報ばかりをピンポイントで集め、「真理」を知っているのは自分たちで、批判するのは「真理を知らない連中だ」「思いやりのない人」と決めつける。

こうなると、なかなか外部の人間の意見を聞こうとしません。

洗脳が解ければ、つらい現実に引き戻されるわけですから。

こうして、家族や友人の言葉が届かなくなっていくのです。

まずは現実を直視することです。

二〇二一年四月七日、AFPが各国当局の発表に基づきまとめた統計によると、世界の新型コロナウイルスによる死者数は二八〇万人を超えています。また快復した人でも、後遺症を抱えた人は多い。新型コロナは「ただの風邪」でも「インフルエンザのようなもの」でもありません。

日本学術会議に関するデマ

日本学術会議会員の任命問題は、デマゴーグの手法を理解するために参考になります。

平井文夫というトンデモ解説員

二〇二〇年九月、日本学術会議が推薦した会員候補六人を菅義偉は任命しませんでしたが、これは現行の任命制度になった二〇〇四年以降、初めてのことでした。任命されなかった人たちは、安全保障関連法や特定秘密保護法、普天間基地移設問題などで政府の方針に異論を唱えてきたとされ、菅の恣意的なやり方ではないかと話題になったわけです。

これに関し、フジテレビ上席解説委員の平井《ひらい》文夫《ふみお》がテレビ番組でトンデモないデマを流します。「この（学術会議の）人たち、六年ここで働いたら、そのあと（日本）学士院ってところに行って、年間二五〇万円年金もらえるんですよ、死ぬまで。皆さんの税金から、だいたい。そういうルールになってる」

もちろん、根も葉もない大嘘です。これがネットのデマサイトで紹介され、情弱のネトウヨがそれをさらにＳＮＳで拡散させました。

学術会議と学士院は、所管も役割も選ばれるプロセスも全く違います。

日本学術会議は内閣府の所管で、科学に関する重要事項を審議する科学者の組織です。政府に対して提言をするのが役割の一つで、二一〇人の会員は非常勤特別職の国家公務員です。

一方、日本学士院は文部科学省の組織です。学術上功績顕著な科学者を優遇し、学術の発達に寄与するため必要な事業を行なうとされます。定員は一五〇人で終身会員となります。

当然、平井が述べた「ルール」など存在しません。

視聴者やメディアから批判が出ると、翌日番組は謝罪しましたが、アナウンサーが

「誤った印象を与えるものになりました」と言っただけです。
しかし、これは「印象」の問題ではありません。
公共の電波を使ってデマを流したのです。

デマ拡散の手口

連中のやり方は同じです。デマを流し拡散したあとに、こっそり撤回する手口です。デマを流すのは簡単ですが、それを訂正するのは難しい。この仕組みを確信犯的に悪用するわけです。

橋下徹はツイッターで《学者がよく口にするアメリカとイギリス。両国の学者団体には税金は投入されていないようだ。学問の自由や独立を叫ぶ前に、まずは金の面で自立しろ。年一五〇〇円ほどの会費で今の予算は確保できる。学士院の終身年金も時代にそぐわない》などとデマを垂れ流します。これも大嘘です。アメリカとイギリスの学者団体には税金は投入されています。そしてデマが拡散されたあとに、「これは説明不足だった」などと言い出すわけです。

自称保守の櫻井《さくらい》よしこは「(日本学術会議は) 防衛研究をさせないだけでなく、防衛大学の卒業生が大学院に行きたくとも、東大をはじめ各大学は『防衛大学からきた、防衛省の人間など入れない』と断ってたんですね。今回そんなことを変えるきっかけを菅さんがつくったということに尽きるんだろうと思いますね」とテレビでデマを流しました。これも嘘であることが判明しています。

「日本学術会議は中国の息がかかっている!」というデマも広がりました。

自民党の甘利明は《日本学術会議は防衛省予算を使った研究開発には参加を禁じていますが、中国の「外国人研究者ヘッドハンティングプラン」である「千人計画」には積極的に協力しています》とブログでデマを流し、ネトウヨがそれを拡散させたあとに、こっそり表現を修正しました。

菅ヨイショの偏向報道

菅は、六人の任命を拒否したことは適法と発言します。「推薦《すいせん》された方をそのまま任命してきた前例を踏襲して良いのか」と考えたそうですが、そもそも菅は安倍晋三という悪しき前例をそのまま踏襲したボンクラです。

菅は「(憲法で保障される) 学問の自由とは全く関係ない」とも明言しましたが、その根拠は不明。説明抜きに「全く関係ない」「その指摘はあたらない」と繰り返すのは、高飛車な態度というより、正常な人間に備わっているコミュニケーション能力が欠如しているからでしょう。

日本学術会議の件では、デマゴーグによる菅ヨイショの偏向報道が続きました。そして論点ずらしが連日のように社会に投下されます。

一方、海外メディアは事実を正確に報道しました。

イギリスの学術雑誌「ネイチャー」は、学術的な自治が脅《おびや》かされていると指摘。英紙フィナンシャル・タイムズは、菅の「非情な黒幕」という評判が明るみに出ると しました。仏紙ル・モンドは「日本の首相が知的世界と戦争」という記事を掲載します。

これは本当にその通りです。

安倍や菅、その周辺の一味がやってきたことは、単に法やルールからの逸脱だけではなく、「知的世界」との戦争だったのです。

安全保障法制に反対した学者らが任命から除外されたことにより、日本でも「赤狩り」が始まるという意見もありました。デタラメな安保法制に反対する学者が「赤」なら菅は「黒」でしょう。菅は「総合的、俯瞰的活動を確保する観点から今回の任命について判断した」と言っていましたが、「総合的、俯瞰的」に見て菅はアウトです。

デマゴーグはデマを流すのが仕事です。モラルがない人間にモラルを求めても仕方がありません。だとしたら、番組と放送局に責任を取らせるしかありません。私は一種の連座制を適用すべきと考えています。

うんこにたかるハエ――加藤清隆

裁判でデマが確定

後述するように、安倍は新型コロナ対策と称して全世帯に布マスクを配りましたが、そこには虫が混入していたり、カビが付着していました。しかも、マスクの製造会社をなかなか明かそうとしませんでした。どのようにカネが動いたのかがはっきりしなかったわけです。

こんな得体の知れないマスクを使いたいと思う人は少ないでしょう。実際、大きな批判の声が上がりました。

私がこの愚策を「日刊ゲンダイ」の連載（「それでもバカとは戦え」二〇二〇年四月二五日）で受け取り拒否の方法とともに批判すると、加藤清隆《かとうきよたか》とかいうネトウヨがツイッターで絡んできました。

《何を言っているのか、現実をよく見ろ。布マスク配布で医療従事者用マスクの増産が始まったし、一般マスクも少しずつだが市中に出回るようになった。粗悪品については回収し、配り直す。十分アベノマスクは効果があったではないか。安倍のやることに何でもケチをつける者など不要不急の粗悪品》

「アベノマスク」により日本は助かったと言いたかったようです。

《安倍のやることに何でも肯定し尻尾を振る者も不要不急の粗悪品》というリプもついていましたが、「あばたもえくぼ」ということなのでしょう。

ネットで調べると、もともと時事通信にいて、退職後は政治評論家を名乗り、「真相深入り！虎ノ門ニュース」（DHCシアター）などにも出ている人のようでした。

政権を擁護するデマを流すのが加藤の主な仕事なのでしょう。

二〇一九年五月一一日、北方四島ビザなし交流の訪問団の一員として国後島《くなしりとう》を訪問していた日本維新の会の丸山《まるやま》穂高《ほだか》が宿舎で大酒を飲んで騒ぎ、元島民の団長に「戦争でこの島を取り返すことは賛成ですか、反対ですか？」「ロシアが混乱しているときに取り返すのはOKですか?」と質問。団長がロシアと戦争をするべきではないと答えると、「戦争しないとどうしようもなくないですか?」と畳みかけた。

また、偶然居合わせたロシア人少女に抱きついてキスを繰り返し、「女を買いたい」と言い出し、禁止されているにもかかわらず宿舎から外出しようとした。

当然、元島民らは抗議します。国際問題にも発展し、ロシア上院のコサチョフ国際問題委員長は「日ロ関係の流れの中で最もひどい(発言だ)」と批判しました。

すると加藤は妄想を膨らませてツイート。

《今回の丸山問題で最も気に入らないのが、同議員の発言を録音していた人間がいるということだ。もちろん酒に酔って、訪問団に絡んだことは十分反省してもらわなければならないが、発言を外に出すことを前提に録音するなど言語道断。そもそも話し合いで北方四島が戻ってくると考える方が甘くはないか?》

これこそが言語道断のデマです。事実は、テレビ朝日が団長に取材していたところに、勝手に丸山が割って入ってきて恫喝を繰り返したのです。

有田芳生《ありたよしふ》参院議員がトランプを侮辱する横断幕を掲げたとするデマを拡散させた件

については、加藤は裁判で負け、名誉毀損に当たるとして二二万円の支払いを命じられています。

ネットで検索すれば、膨大な量の加藤によるデマがヒットします。

ではなぜ、このような人物が放置されてきたのでしょうか？

安倍政権というウンコにたかるハエだったからでしょう。

時事通信は人材の宝庫

加藤は《検察庁法改正案に抗議します》というタグをつけてツイートした女性歌手に対し、《歌手やってて、知らないかも知れないけど、検察庁法改正案は国家公務員の定年を六五歳で揃えるため。安倍政権の言いなりになるみたいな陰謀論が幅をきかせているけど、内閣が検察庁を直接指揮することなどできません。デタラメな噂に騙されないようにね。歌、頑張って下さい》とコメントを付けてリツイート。

陰謀論、デタラメな噂を垂れ流しているのは加藤です。

検察庁法改正案の問題は日弁連会長が指摘するように「内閣や法相の裁量で検察官

人事に介入できることになる」からです。松尾邦弘《まつおくにひろ》元検事総長ら検察ＯＢも検察庁法改正案に反対する意見書を提出しています。

しかし時事通信はすごい。屋山太郎《ややまたろう》とか田崎史郎とか加藤とかそんなのばかり排出しています。排出というより排泄に近い。うんこみたいなものです。

あの手の連中と同じで、加藤も逃げ足だけは速い。

二〇二〇年二月二三日には《高須院長や石平《せきへい》さん百田《ひゃくた》さんに見限られた安倍政権は恐らくもう長くないかも知れません。どこかで気づいてくれるかと期待しましたが、どうやら無理だったようですね。今後の混乱を思うとまさに無念です》とツイート。

安倍礼賛ビジネスで飯を食ってきた連中は、安倍が消えたあとは、突然飼い主がいなくなった犬みたいなものなので、混乱し、手のひらを返したり、仲間割れを始めてみたりと、それでも忙しそうに動いているようです。

この手の卑劣な連中は安倍の壊国に加担した罪を悔いているわけではありません。単に算盤をはじいて、新型コロナウイルス騒動を口実に泥舟から逃げ出そうとしているだけです。この先、安倍が逮捕されたとしても、連中は知らぬ顔を決め込むのでしょう。

私が好きなエピソードがあります。

三島由紀夫《みしまゆきお》の友人の素人作曲家が、戦時中「大東亜行進曲」という曲をつくり、北支、中支総司令官に贈り感謝状をもらいました。そして戦後は、題名だけを「民主主義行進曲」に変え、ＧＨＱへ贈り感謝状をもらったそうです。

三島は言います。

《私はどうも戦後の文化の状況を考えてみて日本人が一方に偏してしまい文化の中心のバランスを崩してしまったように思う。はやい話が戦争中、軍部に協力し鼓吹した人間が戦後たちまちオピニオンリーダーになって、こんどは平和主義、反戦主義、あるいは革命を唱え、あるいは日本の国家観念の破壊をくわだててきたという道すじをみると、私は筆をとる人間として恥ずかしくてしかたがない》(「私の自主防衛論」)

今、われわれがやるべきことは、恥知らずな連中の名前と顔をしっかりと記憶しておくことです。

DHC会長の「ヘイトスピーチ」

バカが保守を自称するようになった結果、現在、わが国では「保守系＝バカ」ということになってしまっています。

「保守系＝バカ」という誤解

戦後の思考停止、知的劣化、人心の荒廃……。あらゆる負の側面が生み出したのが安倍政権でしたが、これを支えてきたのが腐り果てたメディアであり、それに感化された卑劣で薄汚い精神の奴隷たちでした。

化粧品販売大手ＤＨＣ会長の吉田嘉明《よしだよしあき》は、自社の公式ウェブサイトで競合するサントリー関連会社に触れ、根拠を示さないまま《サントリーのＣＭに起用されているタレントはどういうわけかほぼ全員がコリアン系の日本人です。そのためネットではチョントリーと揶揄されているようです。DHCは起用タレントをはじめ、すべてが純粋な日本企業です》とヘイトスピーチを垂れ流します。

DHCといえば、関連会社の「DHCテレビジョン」が「真相深入り!虎ノ門ニュース」や「ニュース女子」といった番組をつくっていることで知られていますが、いくつかのメディアはこれを「保守系番組」と紹介していました。

しかし、政治的スタンスとしての保守とは近代の理想が暴走することに警戒を示す知的で冷静な態度のことです。理想を掲げ復古という形をとる右翼とは異なり、近代の不可逆性を前提にその内部において思考停止を戒める姿勢のことです。よって、近代の正確な理解がないところに保守は成り立ちません。

私は以前、「日本に保守は根付かなかった」と書きましたが、認識を改めるようになりました。日本には最初から保守は成立しなかったのです。

理由は簡単です。

近代の理解が上滑りだった日本人は、当然、近代の原理であるナショナリズムの理解も上滑りなものにならざるをえなかったのです。

もちろん一部には、まっとうな保守もいましたが例外中の例外です。

彼らは嘆きました。

日本は西欧近代を神格化し、「外発的」(夏目漱石《なつめそうせき》)に国を変造し、「近代史の飛ばし読み」(三島由紀夫)が招いた「真の混乱」(福田恆存《ふくだつねあり》)は、保守を自称する勢力による国家の否定という倒錯に行き着きました。

そこを新型コロナが直撃したのです。

ゲーテは言います。

《国民的憎悪というものは、一種独特なものだ。——文化のもっとも低い段階のところに、いつももっとも強烈な憎悪があるのを君は見出すだろう》

第五章

ナショナリズムの衰退と国家の機能不全

東京五輪と新型コロナ騒動は同根

先の戦争も東京五輪も同じ

先日、アマゾンプライム・ビデオのお薦めで『スマホを落としただけなのに』という映画が出てきたので、よく調べずに観てしまいました。結論から言うと最悪です。脚本もひどいし、主演女優の演技もひどい。

映画は大人が集まって大金をかけて綿密につくるものでしょう。それなのに、どうしてこういうゴミができあがってしまったのでしょうか？

結局、「いったん止めよう」「練り直そう」と声をあげる勇気のある人がいなかったということだと思います。

プロジェクトが決定すると周辺はそのまま流されていきます。「変だ」と思っても、止めるためには大きな力が必要になります。リスクも負うことになる。先の戦争も東京五輪も同じです。利権やプライド、事なかれ主義などが絡まり合い、ドツボにはまっていくのです。

東京オリンピック・パラリンピック競技大会組織委員会会長の森喜朗は、新型コロナの感染拡大と医療崩壊が進む中、最後まで「新型コロナがどういう形であろうと必ずやる」と喚《わめ》き続け、結局、オウンゴールを見事に決めました。

二〇二一年二月、日本オリンピック委員会（ＪＯＣ）の女性理事を増やす方針に関し、「女性がたくさん入っている理事会は時間がかかる」と発言し、「女性蔑視《べっし》だ」との抗議の声が噴出すると、さらに火に油を注ぎます。

謝罪会見では、質問をした記者に対し「あんたの話は聞きたくない」と逆ギレ。「オリンピック精神に反する発言をする人が組織委の会長をするのが適任か」と聞かれると「さあ？　あなたはどう思いますか」と逆質問し、最後は「面白おかしくしたいから聞いてんだろ？」と吐き捨てました。たしかにメディアは面白おかしくしたいのでしょうが、それに必要以上に応えるのが森です。

森はかつてフィギュアスケートの浅田真央《あさだまお》選手が転倒したことを受け「あの子、大事なときには必ず転ぶんですよね」と発言しましたが、「それ、お前だろ」という話。二〇一四年のソチ五輪のときの発言なので、実に八年越しの大ブーメランです。

英紙ガーディアン、米紙ニューヨーク・タイムズをはじめ、世界中のメディアは一連の発言を報道し、スポンサーからも苦情が殺到。森は辞任に追い込まれました。

日本が置かれている状況を森は見事に世界に発信してくれたのです。

金メダルは森にあげたい

しかし、そこでくじけないのが森のすごいところです。ラグビーで鍛え上げられた不屈の精神でしょうか。問題を引き起こした張本人なのに、日本サッカー協会相談役の川淵三郎《かわぶちさぶろう》を後継に指名。案の定、「密室政治」との批判が上がり、当初受諾する意向を示していた川淵は辞退します。

後任人事が空白になる中、五輪担当大臣の橋本聖子《はしもとせいこ》が大臣を辞任して後任の会長につく案が浮上します。当初橋本は自民党を離党しない考えを表明していましたが、国際オリンピック委員会（ＩＯＣ）が掲げる「政治的中立性」に反すると批判を浴びて離党。

その後、「国民に歓迎される会長を務める。政党に所属すれば国民に理解してもらえない」と述べていましたが、離党を拒んでいたのは橋本です。

女性蔑視発言で辞めた森の後釜にセクハラ・パワハラで有名な橋本を据えるところにも、今の日本の病を見出すことができます。

二〇一四年二月の冬季ソチ五輪閉会式後のパーティーで橋本は、フィギュアスケートの高橋大輔《たかはしだいすけ》選手に抱きついて無理やりキス。

当時橋本はキスについて「頑張った息子に、ママのところに来なさい、という思い」と釈明していましたが、森よりひどい。

同年四月二五日、首相官邸で開かれた、ソチ五輪・パラリンピック入賞者を集めた安倍主催の記念品贈呈式では、嫌がる浅田に安倍とのハグを強要。「セクハラ」というより悪質な性犯罪です。

五輪招致の際に安倍が流した福島原発事故に関する数々のデマ、当初の発表から四倍以上に膨れ上がり三兆円を突破した予算、竹田恆和《たけだつねかず》JOC前会長の贈賄《ぞうわい》容疑、新国立競技場設計の迷走、エンブレムのパクリ騒動、開閉会式の責任者によるタレント渡辺直美《わたなべなおみ》を豚として演じさせるプラン……。当初から一貫して嘘と汚辱にまみれたクソ五輪。誰かが止めるどころか、悪質な連中が、責任を押し付け合ってきたのです。

広告代理店電通元専務

最初から最後まで、東京五輪に群がる連中の言動はデタラメでした。

ロイター通信によると、東京五輪・パラリンピックの組織委員会理事を務めた広告代理店電通元専務の高橋治之《たかはしはるゆき》が、五輪招致をめぐり招致委員会から八二〇万ドル（約八億九〇〇〇万円）相当の資金を受け取り、国際オリンピック委員会（IOC）委員らにロビー活動を行なっていたことが分かっています。五輪の招致をめぐってはフランス検察当局も汚職疑惑の捜査に動いています。

新型コロナが拡大する中、例によって安倍は無責任な発言を繰り返しました。

五輪延期や中止を避け、確実に開催すると不退転の決意を表明し、外国人選手や大会関係者らの入国条件の検討をすすめていきます。

二〇二一年三月には、ほとぼりも冷めたとばかりに、のこのことインタビューに登場。

東日本大震災を利用し、「アンダーコントロール」という嘘により招致した東京五輪については「人類が新型コロナウイルスに打ち勝った証《あか》しとして開催できれば、五輪の歴史に残る大会となる」と発言。すでに安倍のせいで腐臭を放つ「歴史に残る大会」になっているにもかかわらず。

オリンピックに群がる連中は口を開けば「一丸となって」と言いますが、新型コロナに対しては一丸となって対応しようとしませんでした。これもまた、ナショナリズムの衰退、国家機能の不全と診断するしかありません。

結局、こういう感じで、日本は戦争に負けて廃墟になったのだと思います。だとしたら「第二の東京裁判」を開くべきです。そして、新型コロナとの戦いにおける「戦犯」を裁くべきです。

国を挙げての自殺行為

少し過去を振り返ってみましょう。

東京五輪の聖火は、二〇二〇年三月一二日にギリシャのアテネにあるオリンピア遺跡で採火されましたが、ギリシャ国内のリレーは新型コロナウイルスの影響でわずか一日で中止になります。

二〇二〇年三月二四日、IOCは、東京オリンピック・パラリンピックを一年程度延期することを決定しました。

それ以前から延期論は噴出していました。

カナダのオリンピック委員会は、東京オリンピックが開催される場合、選手団を派遣しないと明言します。トランプも「一年間延期したほうがいいかもしれない」と言っていましたが、安倍周辺やIOCは予定通り開催すると断言します。

トランプがどんなにデタラメなことを言っても、完全ケツ舐め路線で追従するのに、珍しくまともなことを言うと反発するわけです。

安倍はIOCのバッハ会長と電話協議し、最終的に延期を受け入れましたが、「中止は選択肢にない」との態度は崩しませんでした。莫大な利権も絡んでいるし、安倍を担いできた財界も黙ってはいないので引き返せなかったのでしょう。一部の連中の利益のために国を挙げて自殺行為のバカ騒ぎを強行しようとしていたわけです。

勇気ある発言

二〇二一年になっても複数の世論調査で、国民の約八割が五輪開催に反対していました。

当たり前です。

政府は外国人の入国を原則禁止し主要都市に緊急事態宣言を発令。各国で感染拡大が続き、変異種の解明もされていません。日本医師会会長は、さらなる訪日外国人患者の受け入れは「可能ではない」と表明します。

複数の国や選手たちが参加をボイコットする可能性も高まってきました。

「中止にしたら一生懸命練習してきた選手がかわいそう」という誘導に騙されてはい

けない。出たくなくても、立場上言えない選手もいます。

こうした中、勇気ある発言が飛び出します。

五輪に内定している陸上女子の新谷仁美《にいやひとみ》選手は「アスリートとしてはやりたい。人としてはやりたくないです」「命というものは正直、オリンピックよりも大事なものだと思います」と発言。この言葉に尽きると思います。これは「人として」どうかという問題です。

聖火ランナーを引き受けていた芸能人やスポーツ選手らも次々と辞退を表明。

二〇二一年三月二五日のNHKニュースによると、自治体が明らかにしただけでも、少なくとも三四都県で九〇人を超えたとのことです。

森は「あとは毎日、神様にお祈りする」「天を敬う。それしかない」、自民党幹事長の二階俊博《にかいとしひろ》は「スポーツ振興は国民の健康にもつながる。大いに開催できるように努力するのは当然」などと妄言を繰り返していましたが、こんないかれたジジイどもの都合のために、選手と国民の命を危険にさらす必要はありません。

二階はボランティアの辞退が相次いでいることについて「関係者の皆さんは瞬間的

に協力できないとおっしゃったんだと思うが、落ち着いて静かになったら、考えも変わるだろう。どうしてもやめたいならまた新たなボランティアを募集せざるを得ない」と発言。要するに国民を舐め切っているわけです。

テレビ番組でアナウンサーが「(新型コロナについて)政府の対策は十分なのか。更に手を打つことがあるとすれば何が必要か」と質問すると、二階は「それじゃあ、他の政党に何ができますか？　他の政治家に何ができますか？　今、全力を尽くしてやっているじゃないですか」「いちいちそんなケチをつけるものじゃないですよ」と恫喝します。

菅義偉も安倍と同様、五輪開催は「人類が新型コロナウイルスに打ち勝った証し」になると繰り返しましたが、五輪開催は間違いなく「新型コロナウイルスが人類に打ち勝った証し」になります。

Go Toキャンペーン

最大三〇九五億円の事務委託費

近代大衆社会が自壊に向かうプロセスについては、一九世紀半ばくらいから多くの哲学者・思想家が指摘してきましたが、ソフトランディングどころかハードランディングにも失敗し、日本は空中分解しました。新型コロナウイルスの感染拡大が止まらない中、政府は「Go Toキャンペーン」と称し、パンデミックの後押しを始めます。人の動きを抑えなければならないときに、加速させたわけです。

「Go Toキャンペーン」とは観光などの需要を喚起して、緊急事態宣言にともない疲弊した景気・経済を再興させることを目的とした経済政策です。

二〇二〇年四月七日、政府は事業規模一〇八兆円におよぶ「新型コロナウイルス感染症緊急経済対策」を実行するため、一六兆八〇五七億円にのぼる二〇二〇年度補正予算案を閣議決定します。

そのうち一兆六七九四億円が「Ｇｏ Ｔｏキャンペーン」に充てられました。

これは国内旅行の費用を補助する国土交通省（観光庁）所管の「Ｇｏ Ｔｏトラベル」と、飲食需要を喚起する農林水産省所管の「Ｇｏ Ｔｏ Ｅａｔ」、イベントなどのチケット代を補助する経済産業省所管の「Ｇｏ Ｔｏイベント」や商店街振興の「Ｇｏ Ｔｏ商店街」（地域振興キャンペーン）で構成されます。

「Ｇｏ Ｔｏトラベル」は二〇二〇年八月上旬の開始予定だったのですが、同年七月二二日からに前倒し。ちょうど、新規感染者数が急増している時期です。

これは菅義偉が主導したものでした。

青森県むつ市の宮下宗一郎《みやしたそういちろう》市長は「キャンペーンによって感染が拡大すれば、人災だということになる」「命があって健康であれば、経済を回す方法はいくらでもある」と言っていました。その通りですが、そもそもいかがわしい連中が国家の中枢に居座っていることが「人災」なのです。

「Ｇｏ Ｔｏトラベル」に批判が集中したため、政府は四六道府県から東京への観光旅行や都民が都外に出る観光旅行は割引の対象外としましたが、正常な人間なら新型コロナ対策に予算を回そうと考えるでしょう。「Ｇｏ Ｔｏ」への反発が感染拡大を抑制した可能性があるとの指摘もありますが、それはあくまでも結果論です。

「Ｇｏ Ｔｏトラベル」が観光業の救済につながるかは確実ではないとの指摘もありましたし、すべての観光業者の売り上げがアップするわけではありません。もともと人が集まるところに「安いから」という理由でさらに人が集まるわけですから。猿でも分かる話ですが、必要なのは売り上げが激減して困っている全産業に対する直接支援でした。

ではなぜこのような蛮行《ばんこう》が行なわれたのでしょうか？

一つは最大三〇九五億円の事務委託費でしょう。そこには莫大な利権があります。自民党の二階俊博らは、事務委託先の「ツーリズム産業共同提案体」に名を連ねる業者から約四二〇〇万円もの献金を受けています。国民の生命よりポケットマネーが大切な人々が権力を握っている以上、問題は簡単に収まりそうにありません。

新型コロナ下で行なわれた住民投票

「都構想」という詐欺

二〇二〇年一一月一日、大阪市を廃止し特別区に分割することの是非を問う住民投票が行なわれました。二〇一五年の住民投票で否決されたものが、再び大阪市民に問われることとなったわけです。結果は、約一万七千票の僅差で反対多数となり否決されました。

私もいい加減、このような連中の相手をするのはうんざりなのですが、それが維新の会の狙いでしょう。嘘とデマにより世の中を疲弊させ、恫喝やスラップ訴訟により反対派の手足を縛り、拡大していく。

二〇一五年の住民投票のときもそうですが、「事実」を知らずに賛成したり反対したりしている人が相当数いました。

住民投票直前の共同通信社の世論調査によれば、賛成は四三・三パーセント、反対は四三・六パーセントと拮抗《きっこう》していましたが、大阪府と市の説明に関し、七〇パーセントが「十分ではない」と回答していたのです。

維新の会が流したデマに騙され、この住民投票を「都構想」の是非を問うものだと勘違いしている人もいました。もちろん、投票用紙や選管HPに明記されていた通り、これは大阪市を廃止し特別区を設置することに賛成か反対かを問うものです。

また、政令指定都市である大阪市が村以下の権限しかない特別区に分断されて、権限も自治も失われるだけという「事実」を知らない人もいました。

二〇二〇年一〇月一二日、松井一郎は毎日放送（ＭＢＳ）の情報番組「ミント！」に出演。「大阪市の決算ベースの平均」から試算した財政シミュレーションとしてグラフを見せながら、特別区の財政は大幅な黒字が続くと主張します。

これに対し共産党の山中智子《やまなかともこ》市議団長が「法定協議会にも一度も出ていないものだ」「一体誰がつくったものなのか」と追及すると、松井は「これは維新で勝手につくっているわけじゃない」「大阪市の財政当局が計算したもの」と反論します。

しかし、市民が市に対し情報公開請求したところ、維新の会がつくったものであることが判明。公共の電波で嘘が拡散されたら完全に修復するのは不可能です。

要するに、投票日までは全力で嘘、デマ、プロパガンダを拡散し、世の中を騙しきるというういつもの維新の会のやり方です。

松井はその後、「なにが問題なの」と開き直ります。

二〇二〇年一一月の住民投票の際には、市選管が投票用紙に「大阪市を廃止し特別区を設置することについて」と明記したことに対し、松井は「『大阪市を廃止』ではなく『大阪市役所を廃止』とできないか」と注文をつけています。二〇一五年の住民投票の際は、この文言はなかったので一歩前進と言っていいのですが、正確な情報が大阪市民に伝わったら連中は困るわけです。

維新の会は「大阪都構想」関連の事務に少なくとも一〇〇億円を超える府市の公金をつぎ込んでいました。また、住民投票関連の経費は二〇一五年のときは約九億三〇〇〇万円、二〇二〇年のときは約一〇億七〇〇〇万円を予算計上しました。そのカネを大阪市のために使えばいいのに、大阪市を破壊するために使ったわけです。

ご存じの通り、新型コロナ下における大阪の医療体制はボロボロです。

「無駄の排除」を謳《うた》うなら、維新の会こそが最大の既得権益であり、最大の無駄です。意味不明な住民投票が大阪の住民に与えた経済的・精神的損害は計り知れません。

維新と公明党の密約

一度大阪市が廃止されたら元に戻すことはできません。

一方、維新の会は住民投票で否決されようが何度でも仕掛けてきます。事実、二〇一五年の住民投票の直前になると橋下は「最後のチャンス」などと大嘘を繰り返していました。

「都構想の住民投票は一回しかやらない」

「賛成多数にならなかった場合には都構想を断念する」

「今回が大阪の問題を解決する最後のチャンスです」

「二度目の住民投票の予定はありません」

「衰退する大阪を変える最初で最後のチャンス」

「僕のことはキライでもいい。大阪が一つになる、ラストチャンスなんです」

「大阪を変えれるのは、このワンチャンスだけ」

大阪維新の会の公式HP、街頭演説、タウンミーティング、在阪民放五局の大阪維新の会のCM……。ありとあらゆる場所で、橋下は「これが最後だ」と繰り返しました。退路を断ったかのように見せかけて、票を集める手口です。

二〇二〇年の住民投票では、松井一郎と吉村洋文が、全く同じことを繰り返しました。

その際、公明党が賛成に回ったのは維新の会と密約があったからです。

これをバラしたのは他ならぬ橋下です。

住民投票後、橋下は報道番組に出演し「公明党と握ったわけですよ。衆議院選の議席を維新は公明党に譲る代わりに、住民投票は賛成に回ってもらう」と発言します。衆議院で公明党は大阪の小選挙区で四つの議席を確保していましたが、維新の会はそこに候補者を立てない代わりに住民投票で賛成してほしいと密約を交わしたわけです。要するに大阪市民のことなどなにも考えていない。

橋下は維新の会が引き起こした騒動をネタにして講演などで荒稼ぎしています。講演料は一律二一六万円、時間は九〇分までとのことです。二〇二〇年一月に放映された番組で橋下は住民投票について吉村洋文と対談します。

吉村「仕事増えますからね。コメンテーターとか」

橋下「解説者とか講演会とか」「松井さんと吉村さんを除けば、俺は一番大阪の住民投票に詳しいと思うから、ちょっと今年は仕事を頑張りますよ」

吉村「儲けますか?」

橋下「ヒヒヒヒ」

本当におぞましい。人間はここまで卑劣で汚くなれるものなのでしょうか?

大阪の三バカ

大阪市解体をめぐる住民投票の否決後、立憲民主党副代表の辻元清美《つじもときよみ》が《しびれるくらい拮抗したけど、これでノーサイド。どっちを選んだ人も大阪が好きで投票に臨んだ。市長には明日からこれ以上の分断を起こさぬよう細やかな対応を心からお願いしたいと思います》とツイート。

「喉元過ぎれば熱さを忘れる」という言葉がありますが、冗談ではありません。大阪市が好きな人間が大阪市を消滅させる住民投票に賛成するわけがないでしょう。日本が好きな人間が日本を消滅させることに賛成するのでしょうか？

それと同じです。

そもそも維新の会はフェアに戦ったわけではありません。

先述の通り、維新の会の背後には、菅義偉や竹中平蔵らがいます。

竹中はテレビ番組で松井に対し「私は、政治家としての能力、これは菅総理を含めて、みんなものすごく高く評価してるんですよ」「私ね、少し期間おいてね、国政に出ていただきたいんです」と発言。

橋下はテレビ番組で「知事、市長をやってたときの話をしゃべり尽くして、もうネタがないんですよ」とコメンテーターからの〝卒業〟を示唆《しさ》しています。また別の番組では、吉村について、「維新のトップ、国会議員になってもらいたい思いはある」と国政復帰の話を持ち出しました。

要するに、仲間内で褒め合って、国政進出を狙っているわけです。

菅は住民投票について「二重行政の解消と住民自治の拡充を図ろうとする大都市制度の大きな改革だと認識している」と評価、否決後は「大都市制度の議論において一石を投じた」と発言しています。

大阪の三バカが活動拠点を国政に移せば、日本は目も当てられなくなるでしょう。

東京を飛び越えて

バカがバカを支持すれば、当然バカな国になります。

デマを信じる人が多ければ、当然デマゴーグが増長します。

橋下は、これまでタウンミーティングなどで「東京を飛び越えてニューヨーク、ロンドン、パリ、上海、バンコク、そういうところに並んでいく大阪というものを目指そうとする。これが大阪都構想賛成派」などと大言壮語を繰り広げてきました。

しかし実際には住民投票で賛成派が勝ったら、ニューヨーク、ロンドン、パリに並ぶどころか、先述したように大阪市は村以下の権限しかない特別区に解体され、府の従属団体になり自治権も失っていたのです。

共同体から切断され都市部で発生した「大衆」は、不安に支配され、新しい生き方を提示し、人生の目的を与えてくれるエセ共同体に接近していきます。ファシズムは大衆運動であり、中心は空虚で内容はありません。そこでは事実はもはや問題ではなく、破壊という運動そのものが自己目的化していくのです。

ツイッターで「橋下徹は極右だ」みたいな意見がありましたが、日本の伝統や文化に対する憎しみを隠そうともしない橋下が極右なわけはありません。

「能や狂言が好きな人は変質者」

「(近松門左衛門《ちかまつもんざえもん》原作の『曾根崎心中《そねざきしんじゅう》』を鑑賞して)演出不足だ。昔の脚本をかたくなに守らないといけないのか」「演出を現代風にアレンジしろ」

「なんで『国民のために、お国のために』なんてケツの穴が痒《かゆ》くなるようなことばかりいうんだ?」

「自分の権力欲、名誉欲を達成する手段として、嫌々国民のために奉仕しなければいけないわけよ」

「国籍関係ないでしょ」「有権者の意思で、有能な外国人を選んでもいいじゃないか」

「政治家は、最後は有権者が『選ぶ』か『落とす』か決められるから、もう極端なことを言えば外国籍でもいい」

「日本国民と握手できるか分からない」

こんな連中を放置したら、大阪のコロナ拡大はそれこそ「東京を飛び越えてニューヨーク、ロンドン、パリ」に並んでいくことになるでしょう。

得体不明の布マスク送付事件

アベノマスクはアベノリスク

国内で新型コロナウイルスの感染一例目が判明してから二カ月半経って、安倍が打ち出したのは「全世帯に布マスク二枚配布」でした。二〇二〇年四月一日、安倍は新型コロナウイルス感染症対策本部で、全世帯に再利用可能な布マスクを配ることを表明します。

これは国民の財産をドブにぶち込んだ世紀の愚策です。

安倍政権による新型コロナ対策の目玉と謳っていましたが、「小さすぎる」「洗うと縮む」「異臭がする」と苦情が続出します。カビや汚れ、虫、髪の毛の混入も発覚します。

妊婦向けに配布した布マスクでも不良品が続出。厚生労働省の担当者は「不良品を見つけたら居住自治体に連絡してほしい」とコメントしていましたが、新型コロナへの対応でギリギリのところでやっている自治体の仕事を増やしてどうするのでしょうか？

さすがに国民は激怒します。こんなものを使いたくないと、郵便ポストに入れて送り返したり、捨てたりする人も出てきました。

洗って繰り返し使うことで布マスクは不衛生になる可能性があります。毎回煮沸《しゃふつ》消毒しなければならないので面倒です。

ネットでは「アベノマスク」と揶揄されていましたが、これは「アベノリスク」が顕在化したものです。外出自粛を要請しておいて、外出を前提とするマスクを配るのも意味不明ですし、各家庭に布マスクを送るために駆り出される配達員のリスクも高まります。

当時、「何で断るの。私は一枚でも助かる」「いらないなら近所の人に渡すやさしさがほしい」みたいなトンチンカンな意見もありましたが、自分が「いらない」と判断した物を人にあげるのは失礼でしょう。

素人の思いつきに二六〇億円もかけるなら、医療体制の拡充やワクチン開発に回すべきでした。

黒塗りの納品書

では、なぜこのような愚行を犯したのでしょうか？

政府は発注先やメーカーをひた隠しにしてきました。野党から追及され、一部を公表しますが、納入した業者の選定経緯なども不明のままです。

また、国が開示したマスクの調達に関する契約の文書や納品書などは発注枚数や単価が黒塗りになっており、全容も分かっていません。

「単価が税込みで一四三円になる」との箇所が消し忘れられていましたが、これは官僚のささやかな抵抗かもしれません。

連中は布マスクの追加配布まで目論《もくろ》んでいました。

マスクの品薄状態が解消されていた二〇二〇年六月二二日には、約五八〇〇万枚を追加発注していたことが判明。世論の反発もあり、追加配布は中止に追い込まれましたが、仮にパニックに乗じてカネを懐《ふところ》に入れた悪党がいたなら、明らかにしなければなりません。

一時暴騰していた不織布《ふしょくふ》マスクの値段が下がったころになって、やっと布マスク全戸配布が完了します。

アベノマスクに対する批判の声が高まる中、官房長官の菅義偉は「次なる流行にも十分反応できるよう、布マスクを多くの国民が保有することに意義がある」と不織布マスクをつけながら発言します。説得力がゼロ。国民をバカにしているのです。

不織布マスクに振り回された人々

有名な寺の近くに某商店街があります。

放っておいても一定の数の客は来るので、企業努力をしていません。それどころか「ぼったくってやろう」というオーラを発している店も多い。

たしかに、「私はこれでガンが治った」という大きな看板を出していた漢方薬局は薬事法違反で逮捕されましたし、朝から晩まで「一時間の限定タイムセール」とスピーカーでがなり立てていたバッタ屋は苦情があったのかおとなしくなりました。

しかし、スーパーマーケットで売っている水飴で固めたような鰻《うなぎ》よりまずい鰻屋はそこそこ客が入っていますし、その近くにはあこぎとしか言えない果物屋がありま す。夏には店頭でキュウリ一本に割りばしを刺し味噌をつけて二〇〇円で売り、冬には銀杏《ぎんなん》を煎《い》り殻を割る金具をつけて法外な値段で売っています。店頭の隅では傷んだ果物を「サービス品」として一〇〇〇円で売っています。当然、地元の住民がその店で買うことはありません。

先日、その果物屋の店頭に五〇枚入りの不織布マスクが五〇〇〇円で積み上げられていました。値上がりしていたときは一箱五〇〇〇円で売っていた店です。

この店に限らず、洋品店、饅頭《まんじゅう》屋、しまいにはどこの誰かも分からない若者がガレージの前に長机を置き、不織布マスクを積み上げて高値で売っていました。

おそらく新型コロナ騒動を利用して一儲けしようとしたブローカーが、不織布マスクを買い占め、こうしたところに高値で流していたのでしょう。

しかし、不織布マスクの生産が追いつくようになり、一気に値段が正常に戻りました。同じ商店街では五〇枚入りの不織布マスクが二九九円で売られていました。むしろ新型コロナ流行前より安いくらいです。不良在庫を抱えた連中が投げ売りしているのかもしれません。自業自得です。

ネットでも不織布マスクが高値で転売され、一時期法律で規制されていました。これを正常な商行為と言う人もいますが、こうした連中にとってはモラルという数値化されないものは意味を持ちません。

当初は配布する布マスクと同じものをパフォーマンスでつけていた安倍ですが、そのうちに不織布マスクを使うようになりました。本当にクズ野郎です。

第六章

新型コロナ下で考えたこと

新型コロナは忖度してくれない

日本スゴイ論

この章では、新型コロナ発生から現在にいたるまで、私が考えてきたこと、感じたことについて述べていきたいと思います。

定期的に「日本スゴイ論」というのが流行《はや》ります。要するに諸外国に較べて日本は優れているという話ですが、いろいろなバージョンがあります。外国人に日本を褒《ほ》めさせたり、逆に近隣諸国を貶《おとし》めたり。「コロナ死者が少ない日本は民度が高い」と言った麻生太郎も同じようなものです。

日本人は特別な存在だと思っている人たちは、日本人は欧米人に比べて感染しにくく、たとえ感染しても重症化しにくい「ファクターX」を持っているという話が出てくると、科学的裏付けもない仮説なのに、飛びついてしまいました。

しかし、新型コロナは忖度《そんたく》してくれません。

すでに述べた通り、日本は東アジアでは人口あたりの感染者と死者が最も多く、経済ダメージはアジアで最大です。

新型コロナは、現在の日本が三流国家になってしまったという事実を次々と国民に突きつけました。新型コロナが拡大していく中、安倍は歌手の星野源《ほしのげん》がインスタグラムに載せた「うちで踊ろう」という動画に合わせて、自身が自宅で過ごす動画を投稿します。これに対し、「何様のつもり?」という批判リプライが殺到します。

「(新型コロナへの対応を失敗しても)私が責任を取ればいいというものではありません」という発言もありましたが、過去に一度も責任を取ったことがない安倍が責任を取るわけがありません。

安倍は「桜を見る会事件」に関し、国会で「事務所は関与していない」「明細書はない」「差額は補填していない」などと、事実と異なる答弁を少なくとも一一八回繰り返していました。この病的なホラ吹き、精神の幼児は、一度きちんとした場所で叱られたほうがいいと思います。

オルテガは「指導者にすべきではない人間」をこう描写しました。

《わたしは、この危惧すべき下降傾向は、「慢心しきったお坊ちゃん」のこの上もない異常さのうちにありありとうかがえると思う。というのは、「慢心しきったお坊ちゃん」とは、自分の好き勝手なことをするために生まれてきた人間だからである。実は「良家の御曹子《おんぞうし》」はこうした錯覚にとらわれるものである。その理由は、すでに周知のごとく、家庭内においては、いっさいのものが、大罪までもが最終的にはなんの罰も受けずに終わってしまうからである。家庭という境界内は比較的不自然なもので、社会や街中でやったとすれば当然のことにただではすまされないような行為の多くが許されるのである。しかし、「お坊ちゃん」は、家の外でも家の内と同じようにふるまうことができると考えている人間であり、致命的で、取り返しがつかず、取り消しえないようなものは何もないと信じている人間である。だからこそ、自分の好き勝手にふるまえると信じているのである。なんと大きな誤りであろうか》（『大衆の反逆』）

まさに安倍そのものです。

安倍がやっていたことは、仲間内で決めたことを、プロンプターに映しだし、滑舌悪く読み上げるだけ。二枚舌なのに舌足らず。ネトウヨのお決まりのフレーズに「安倍さんの他に誰がいるのかー」というのがありましたが、AIのアレクサやグーグルホームのほうがはるかに優秀です。

新型コロナ対策に自宅待機が有効なら、安倍を富ケ谷の自宅に閉じ込めておけばよかったのです。

新型コロナによる生活の変化

個人の行動の自由

新型コロナの流行により、いきなり「戦争」がはじまったわけです。

ヨーロッパほどではないとはいえ、わが国にも深刻な被害が発生します。

国家は国民の生命を守るために、戦闘態勢に入ります。

その肝心のときに「国は個人の行動の自由を縛るのかー」「いつも行ってる酒場に行けなくなった」「行こうと思ってたライブが中止になった」「新入生歓迎のコンパがなくなった」「海外出張も中止になった」などと言い出す人が出現しました。

自粛している人は自粛のデメリットが分からない「社交が分からんようなガキ」であり、「やりたいことが（家族と職場以外）特に無い、自粛は嫌じゃ無い人々」は、

「コロナ自粛で苦しめられている人と、全く個人的な付き合いを持っていない」と意味不明のレッテルを貼るわけです。

敵は未知のウイルスです。その実態が分からないうちから、新型コロナの脅威を軽視する無責任な人たちが次々と現れました。私がそのとき感じたのは戦後の平和ボケもここに極まったかということです。

わが国が戦争に巻き込まれ、他国の軍隊が日本の領土に攻め入ったとします。そのときに「オレは釣りに行きたい」と言い出す人間ばかりだったら、国は当然滅びます。特に「近隣諸国の軍事力の脅威がー」「日本は平和ボケだ」などと言いたがるような人たちがこのような発言を始めたので、ショックを受けるというより、ばかばかしくなりました。

私は保守を自称する連中が机上で出した数字をつかって無責任な発言を繰り返し、新自由主義者やカルト、陰謀論者と同じようなことを言い出したのを見て、いよいよわが国も危なくなってきたと思い、全五回の鼎談を行ないました（「新型コロナがあぶり出した『狂った学者と言論人』」【中野剛志《なかのたけし》×佐藤健志《さとうけんじ》×適菜収】https://www.

kk-bestsellers.com/articles/-/624143/)

ネット上で無料公開されていますので、ぜひ読んでみてください。

人間の関係性

私は会社員ではないので緊急事態宣言が出ても、生活はそれほど変わりませんでした。しかし、外出を控えるようにしていたので、体がなまり体重が増えてしまいました。これは私だけではないようです。

イギリス人の三分の二がロックダウンで体重が増え、その約半数が三キロ増以上だとの試算もあります(「ニューズウィーク」二〇二〇年六月一一日)。

こういうときはジタバタしても仕方がないので、気持ちを切り替えたほうがいいと思い、家飲みの工夫に最善を尽くすことにしました。この二〇年以上、ほぼ毎日外で飲んでいたので、家で飲み続けるのはなかなか新鮮でした。

近所に安い八百屋ができたので、そこで野菜をまとめて買って下処理をしておく。デパートの閉店時間も早くなったので、夕方に安くなっている刺身などを買いに行ったりもしました。

近所にあるホテルが特別価格二五〇〇〇円の「新型コロナウイルスに負けるなキャンペーン」を始めたので、そこで何回か仕事をしました。机は狭いし、大浴場は人工温泉ですが、仕事以外することがないので、なかなかはかどりました。自宅からは歩いても一五分くらいの距離なので、旅情の欠片もありませんでしたが。

私の場合、朝、起きたら喫茶店に行ってアイスコーヒーを飲みながら仕事をするのが日課だったのですが、自宅の仕事部屋を整理して、机を一つ増やし、自宅だけで仕事が完結するようにしました。これはなかなか大きな変化でした。

未知のウイルスはわれわれの生活を変えてしまいました。

そして、「戦時下」において、人間の関係性まで変えてしまったのです。

正常なリーダーの不在

敵前逃亡する連中

二〇二〇年八月一七日、安倍は東京・信濃町《しなのまち》の慶應義塾大学病院を訪れ、約七時間半滞在します。同月二四日にも再び病院を訪問。周辺の連中はメディアに事前リークして病院通いを大々的に報道させます。

持病の潰瘍《かいよう》性大腸炎が悪化したという説や、検察の捜査（公職選挙法違反）から逃れるための入院の準備といった説も流れました。実際、首相動静を見ると、安倍は辞任直前まで会食を繰り返しています。高級フランス料理店で食事したり、脂っこいものを食べたりと、とても持病の潰瘍性大腸炎が再発したとは思えません。

再発の兆候があったと主張する同年六月以降も、安倍は高級レストランで宴会三味。実際、官房長官の菅義偉も直前まで安倍の辞任はないとし、「毎日お目にかかっているが変わりない」と言っていました。

仮に病気が本当だったとしても、安倍がやってきたことが免罪されるわけではありません。

二〇二〇年八月二八日、安倍は「本年六月の定期健診で、(潰瘍性大腸炎)再発の兆候がみられると指摘を受けました」などとお涙頂戴の辞任会見を行ない、総理を辞任します。

会見の感想は「盗人猛々しい」の一言でした。

「コロナウイルス対策につきましては、今年の一月から正体不明の敵と悪戦苦闘する中、少しでも感染を抑え、極力重症化を防ぎ、そして国民の命を守るため、その時々の知見の中で最善の努力を重ねてきたつもりであります」

「三密を徹底的に回避するといった予防策により、社会経済活動との両立は十分に可能であります」

「まずは検査能力を抜本的に拡充することです。冬までにインフルエンザとの同時検査が可能となるよう、一日二〇万件の検査体制を目指します」

その後は、北方領土問題や北朝鮮の拉致問題に触れ「痛恨の極みだ。志半ばで職を去るのは断腸の思い」などと言っていましたが、「半ば」どころか大きく後退しています。領土交渉は完敗し、拉致被害者は安倍政権下では一人も帰ってきませんでした。

「バカな大将、敵より怖い」という言葉もあります。

安倍は敵前逃亡した挙句、辞任後の九月一一日にはコース料理を完食し、酒まで飲んでいます。

言葉が軽くなり過ぎた

信頼関係の破壊

安倍の「デフレではないという状況をつくりだすことができたが、デフレ脱却というところまで来ていないのも事実」「募集ではなく、募《つの》っている」などという発言も、すでに「言葉」の意味が蒸発しているということです。

「対話による問題解決の試みは無に帰した」と言ったかと思えば、「私は北朝鮮との対話を否定したことは一度もありません」と言い出す。

ホラ吹きがどれだけホラを吹いても議事録自体が修正される。事実そのものが抹消・捏造されるなら、やがて歴史の解釈すら不可能になる。近い将来、わが国から「失言」は消滅するのかもしれません。

要するに、言葉が軽くなり過ぎたのです。

「桜を見る会」の費用補塡問題をめぐり、野党は安倍の過去の国会答弁について「虚偽答弁」と追及します。これに対し官房長官の加藤勝信は「なにをもって虚偽答弁というかは、必ずしも固定した定義が国会の中であるとは承知していない。使われる文脈によって判断されている」と発言します。

加藤は例として広辞苑を引きながら「《真実でないこと、また真実のように見せかけること、嘘、偽り、空言》といった言葉が並んでいる」と紹介しましたが、アホにも限度があります。

だったら、安倍の答弁は虚偽そのものです。

言葉の定義を勝手に変えることが許されるなら、嘘やデマが横行するばかりではなく、事実の追及すらできなくなります。まさにジョージ・オーウェルが『一九八四年』で描いたディストピアの世界です。以前、政府は「反社会的勢力」の定義も困難と言っていましたが、こいつらこそが「反社会的勢力」であることに日本人は気づくべきです。

無責任体制の敷衍

安倍の成蹊大学時代の師である加藤節《かとうたかし》が、安倍政権には《「負の遺産」しか見つかりません。なかでも三つの点で、非常に問題がある政権でした》と振り返っていました。

一つは二〇一四年に閣議決定だけで解釈改憲を行ない、集団的自衛権を合憲化したこと。安倍は立憲主義を否定して法的安定性を崩壊させました。検察庁法改正案も含めて、司法や検察の人事に内閣が介入し、三権分立の破壊を招きます。

二つ目は政権全体に無責任体制が敷衍《ふえん》したこと。安倍は閣僚の任命責任を一度も取っていません。第一章でも述べましたが、安倍が「任命責任はアタクチにあります」と言うときは絶対に責任を取らないという宣言です。

三つ目は、政府・与党内での政策論争がなくなり、自民党の力が落ちたこと。

私が四つ目を付け加えるとしたら、言葉を媒介とした社会の信頼関係を完全にぶち壊したことです。

二〇二〇年一一月一二日、安倍は共同通信のインタビューで、首相在任中のトランプとの会談の際、日米安全保障条約に基づく有事の日米役割分担について「不公平だ」と繰り返し不満の表明を受けていたと暴露します。安倍は「内閣支持率を下げながら安全保障関連法を成立させた」とトランプに訴えたそうですが、恥知らずとはこのことです。

安全保障関連法を成立させるときに安倍は「アメリカの戦争に巻き込まれることは絶対にない」「自衛隊のリスクが下がる」などと言っていましたが嘘だったわけです。そもそも何のための集団的自衛権なのでしょうか？

安倍は仲間内だけで有識者懇談会をつくり、そこで集団的自衛権を行使できるようにお膳立てをしてもらってから閣議決定し、「憲法解釈の基本的論理は全く変わっていない」などとデマを流し、法制局長官の首をすげ替え、アメリカで勝手に約束してきて、最後に国会に諮り、強行採決しました。

つまり、近代国家としての体裁をかなぐり捨て、アメリカの完全な属国になる道を選んだ。コロナが蔓延する前に、すでに日本は崩壊していたのです。

「保守」の劣化

未知の出来事

保守主義はフランス革命に端を発します。

急進派のマクシミリアン・ロベスピエールは、理性によって社会を合理的に設計することを目指しました。結果、自由の名のもとに自由が抑圧され、社会正義や人権の名のもとに大量虐殺が行なわれました。

これに対して異を唱えたのが保守主義者です。彼らは近代啓蒙思想をそのまま現実社会に当てはめることを批判しました。彼らは理念（抽象）ではなくて現実（常識）に立脚していました。

彼らはフランスでこれまで見たことのないような騒動が発生し人々が熱狂している

のを見て、なにかがおかしいと感じます。

未知の事態が発生したとき、まず立ち止まって考えるのが保守主義です。フランス革命は人類の将来にとってどのような意味を持つのか、それによって得るものはなにか、失われるものはなにか、暴走したときに人類はそれを制御できるのかと考える。安易に結論を出すのを戒め、理念、抽象、数字だけではなく、現実に即して観察を続ける。第四章で述べた通り、保守とは近代の理想が暴走することに警戒を示す知的で冷静な態度のことです。

新型コロナウイルスに対し、わが国の自称保守の連中がとった態度はその正反対のものでした。

「自粛は経済的被害のほうが大きい」「夜の街の人たちがかわいそう」などといった善人ぶった無責任な言論が蔓延《はびこ》ります。

未知のものに対しては、分からないことを分からないと認めた上で、考え続けるのが保守的な態度です。断言を避け、自らの理性をも疑う。人間は完全な存在ではなく、判断を間違えることもあるからです。

フランス革命下において理性は神格化されましたが、新型コロナ下においても理性を妄信するマッド・サイエンティストたちが大活躍したわけです。

おわりに

『永続敗戦論』という本があります。

著者の白井聡《しらいさとし》は冒頭で、福島第一原発事故とその後の言論状況について次のように述べています。

《〈日本的無責任〉あるいは〈無責任の体系〉といった言葉は、口に出してしまえばシンプルである。だが、われわれはその「無責任」の深淵を見た。

われわれのうちの多くが、「あの戦争」に突っ込んでいったかつての日本の姿に現在を重ね合わせてみたことだろう。大言壮語、「不都合な真実」の隠蔽、根拠なき楽観、自己保身、阿諛追従《あゆついしょう》、批判的合理精神の欠如、権威と「空気」への盲従、そして何よりも、他者に対して平然と究極の犠牲を強要しておきながらその落とし前をつけない、いや正確には、落とし前をつけなければならないという感覚がそもそも不在である、というメンタリティ……。これらはいまから約七〇年前、三〇〇万にのぼる国民の生命を奪った。しかもそれは、権力を持つ者たち個人の資質に帰せられる問題ではなかった。つまり、偶然的なものではなかった》

わが国ではこれとほぼ同じ現象が、一貫して繰り返されているのです。

新型コロナをめぐる騒動の数々は、まさにこれでした。結局、無責任な人々、不謹慎な人々、不真面目な人々の天下になったのだと思います。

これは現実から目を逸らし続けてきた結果です。嘘、デマ、プロパガンダの台頭に対し、われわれの社会はそれを放置し続けてきました。

七年八カ月にわたり国を破壊してきた悪党は現在も逃亡中です。

社会にデマを垂れ流してきた維新の会は、党として「ファクトチェック」を行なうと言い出しました。

新型コロナをめぐるデタラメな言論の根底には、ここ三〇年にわたる「改革」という名の病があります。われわれはあらゆるものを壊し続け、ついには人間を壊してしまったのです。

最後にもう一度、オルテガの言葉を引いておきます。

《つまり、彼らの最大の関心事は自分の安楽な生活でありながら、その実、その安楽な生活の根拠には連帯責任を感じていないのである。彼らは、文明の利点の中に、非常な努力と細心の注意をもってして初めて維持しうる奇跡的な発明と構築とを見てとらないのだから、自分たちの役割は、それらを、あたかも生得的な権利ででもあるかのごとく、断固として要求することのみあると信じるのである。飢饉が原因の暴動では、一般大衆はパンを求めるのが普通だが、なんとそのためにパン屋を破壊するというのが彼らの普通のやり方なのである。この例は、今日の大衆が、彼らをはぐくんでくれる文明に対してとる、いっそう広範で複雑な態度の象徴的な例といえよう》（『大衆の反逆』）

新型コロナはこうした現実を、まざまざと見せつけたのです。

二〇二一年四月

適菜　収

参考文献

『コロナ危機の政治』竹中治堅（中公新書）
『ニーチェ全集』（ちくま学芸文庫）
『決定版 三島由紀夫全集』（新潮社）
『ゲーテとの対話』エッカーマン／山下肇訳（岩波文庫）
『大衆の反逆』オルテガ・イ・ガセット／神吉敬三訳（ちくま学芸文庫）
『国賊論　安倍晋三と仲間たち』適菜収（ＫＫベストセラーズ）
「適菜収のメールマガジン」（foomii）

切りとり線

★読者のみなさまにお願い

この本をお読みになって、どんな感想をお持ちでしょうか。祥伝社のホームページから書評をお送りいただけたら、ありがたく存じます。今後の企画の参考にさせていただきます。また、次ページの原稿用紙を切り取り、左記まで郵送していただいても結構です。

お寄せいただいた書評は、ご了解のうえ新聞・雑誌などを通じて紹介させていただくこともあります。採用の場合は、特製図書カードを差しあげます。

なお、ご記入いただいたお名前、ご住所、ご連絡先等は、書評紹介の事前了解、謝礼のお届け以外の目的で利用することはありません。また、それらの情報を6カ月を越えて保管することもありません。

〒101-8701（お手紙は郵便番号だけで届きます）
祥伝社　新書編集部
電話03（3265）2310
祥伝社ブックレビュー　www.shodensha.co.jp/bookreview

★本書の購買動機（媒体名、あるいは○をつけてください）

＿＿＿＿新聞の広告を見て	＿＿＿＿誌の広告を見て	＿＿＿＿の書評を見て	＿＿＿＿の Web を見て	書店で見かけて	知人のすすめで

★100字書評……コロナと無責任な人たち

					名前
					住所
					年齢
					職業

適菜 収　てきな・おさむ

1975年、山梨県生まれ。作家。ニーチェの代表作「アンチクリスト」を現代語訳した『キリスト教は邪教です！』『小林秀雄の警告 近代はなぜ暴走したのか？』『日本をダメにしたB層の研究』（ともに講談社）など著書40冊以上。近著に『日本人は豚になる 三島由紀夫の予言』（ベストセラーズ）、『ナショナリズムを理解できないバカ 日本は自立を放棄した』（小学館）。

コロナと無責任《むせきにん》な人《ひと》たち

適菜《てきな》 収《おさむ》

2021年5月10日　初版第1刷発行
2021年5月25日　第2刷発行

発行者……………辻 浩明
発行所……………祥伝社しょうでんしゃ
〒101-8701　東京都千代田区神田神保町3-3
電話　03(3265)2081(販売部)
電話　03(3265)2310(編集部)
電話　03(3265)3622(業務部)
ホームページ　www.shodensha.co.jp

装丁者……………盛川和洋
印刷所……………萩原印刷
製本所……………ナショナル製本

Printed in Japan　ISBN978-4-396-11628-6　C0295